1976
1970
1968

KOCHAM POLSKĘ

Joanna i Jarosław
Szarkowie

NASZA WSPANIAŁA
OJCZYZNA

Korekta

Agata Chadzińska
Anna Kendziak
Marlena Pawlikowska

Rysunki

Katarzyna Bigos
Agata Droga
Krystyna Mól

Projekt okładki i skład

Łukasz Kosek

ISBN 978-83-7569-600-4

 Dom Wydawniczy RAFAEL
ul. Dąbrowskiego 16, 30-532 Kraków
tel./fax 12 411 14 52
e-mail: rafael@rafael.pl
www.rafael.pl

KOCHAM POLSKĘ

NASZA WSPANIAŁA OJCZYZNA

Joanna
i Jarosław
Szarkowie

RAFAEL

W KOLEBCE

POLSKI

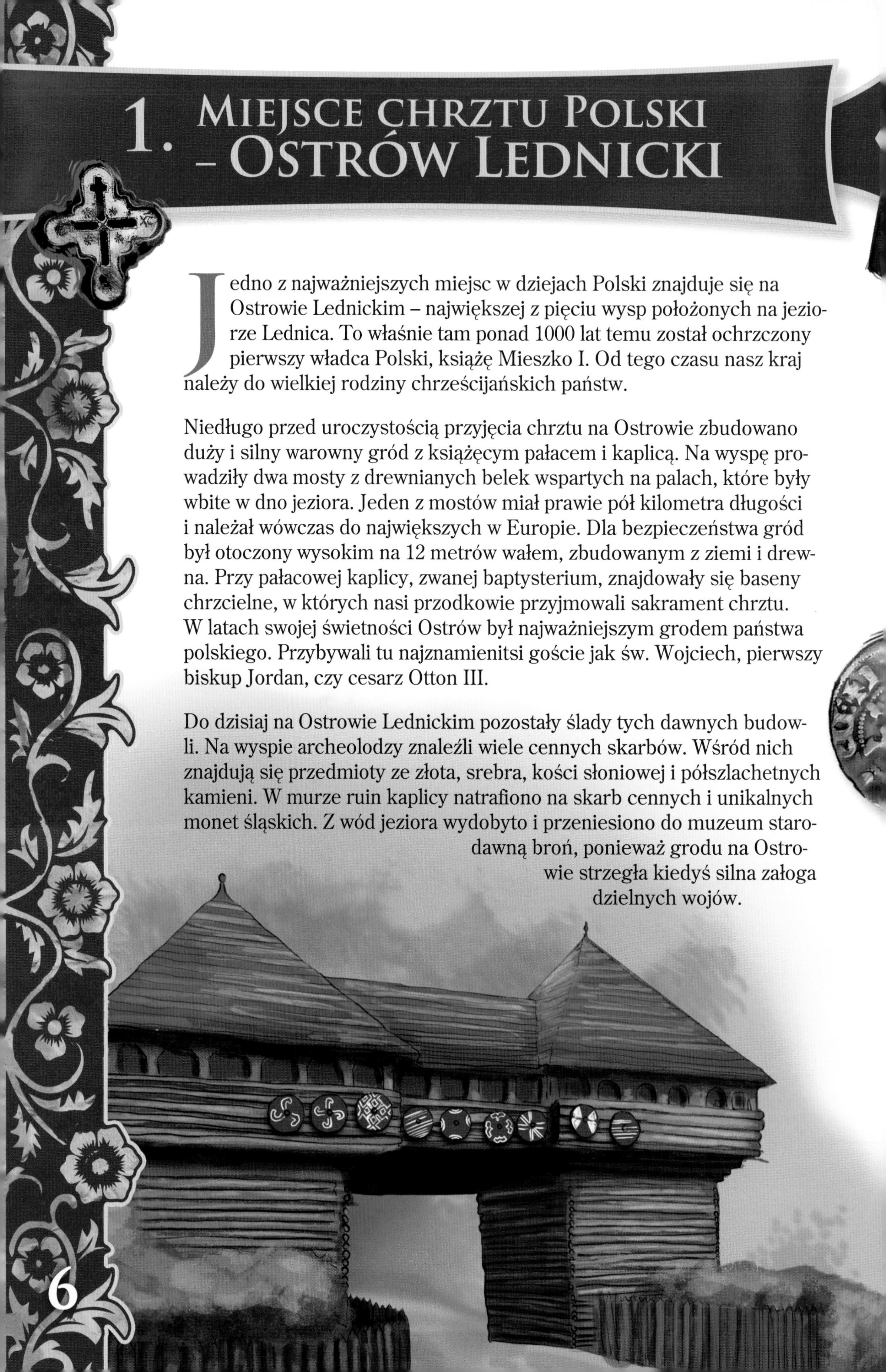

1. Miejsce chrztu Polski – Ostrów Lednicki

Jedno z najważniejszych miejsc w dziejach Polski znajduje się na Ostrowie Lednickim – największej z pięciu wysp położonych na jeziorze Lednica. To właśnie tam ponad 1000 lat temu został ochrzczony pierwszy władca Polski, książę Mieszko I. Od tego czasu nasz kraj należy do wielkiej rodziny chrześcijańskich państw.

Niedługo przed uroczystością przyjęcia chrztu na Ostrowie zbudowano duży i silny warowny gród z książęcym pałacem i kaplicą. Na wyspę prowadziły dwa mosty z drewnianych belek wspartych na palach, które były wbite w dno jeziora. Jeden z mostów miał prawie pół kilometra długości i należał wówczas do największych w Europie. Dla bezpieczeństwa gród był otoczony wysokim na 12 metrów wałem, zbudowanym z ziemi i drewna. Przy pałacowej kaplicy, zwanej baptysterium, znajdowały się baseny chrzcielne, w których nasi przodkowie przyjmowali sakrament chrztu. W latach swojej świetności Ostrów był najważniejszym grodem państwa polskiego. Przybywali tu najznamienitsi goście jak św. Wojciech, pierwszy biskup Jordan, czy cesarz Otton III.

Do dzisiaj na Ostrowie Lednickim pozostały ślady tych dawnych budowli. Na wyspie archeolodzy znaleźli wiele cennych skarbów. Wśród nich znajdują się przedmioty ze złota, srebra, kości słoniowej i półszlachetnych kamieni. W murze ruin kaplicy natrafiono na skarb cennych i unikalnych monet śląskich. Z wód jeziora wydobyto i przeniesiono do muzeum starodawną broń, ponieważ grodu na Ostrowie strzegła kiedyś silna załoga dzielnych wojów.

Brama Trzeciego Tysiąclecia

Wokół jeziora utworzono Lednicki Park Krajobrazowy z lipowymi i dębowymi alejami. Na polach Imiołek wzniesiono Bramę Trzeciego Tysiąclecia w kształcie ogromnej ryby, pod którą corocznie odbywa się chrześcijańskie Ogólnopolskie Spotkanie Młodzieży Lednica 2000.

Najstarszy w Polsce koźlak

W Dziekanowicach nad Lednicą znajduje się jeden z największych w Europie skansenów, w którym odtworzono wielkopolską wieś. Wśród zebranych tu wiatraków stoi najstarszy w Polsce koźlak, mający już przeszło pół tysiąca lat.

2. Pierwsza stolica Polski – Gniezno

„Dawno, dawno temu, trzech braci: Lech, Czech i Rus wędrowało w poszukiwaniu ziem dla założenia swoich państw. Wreszcie Lech przybył do pewnego uroczego miejsca, gdzie były bardzo żyzne pola, wielka obfitość ryb oraz dzikiego zwierza i tamże rozbił swe namioty. A pragnąc tam zbudować pierwsze mieszkanie, aby zapewnić schronienie sobie i swoim, rzekł «Zbudujmy gniazdo!». Stąd i owa miejscowość aż do dzisiaj zwie się Gniezno, to jest «budowanie gniazda»". Tak o założeniu pierwszej stolicy Polski pisał najstarszy kronikarz polskich dziejów, Gall Anonim.

Gniezno, podobnie jak Rzym, zostało zbudowane na siedmiu wzniesieniach, z których największym jest Wzgórze Lecha. Książę Mieszko I kazał postawić na nim pałac i kościół, gdzie pochował swoją żonę – czeską księżniczkę Dobrawę, dzięki której przyjął chrzest.

W roku 1000 w Gnieźnie odbył się słynny Zjazd Gnieźnieński. Na zaproszenie polskiego księcia Bolesława Chrobrego przybył wtedy do grodu cesarz niemiecki Otton III. Obaj władcy uczcili męczennika, św. Wojciecha, biskupa, który został zabity przez pogańskich Prusów, kiedy chciał im głosić Ewangelię. Powstało wtedy w Gnieźnie arcybiskupstwo, które objął brat św. Wojciecha, Radzym Gaudenty. Kościół na

Mieszko I

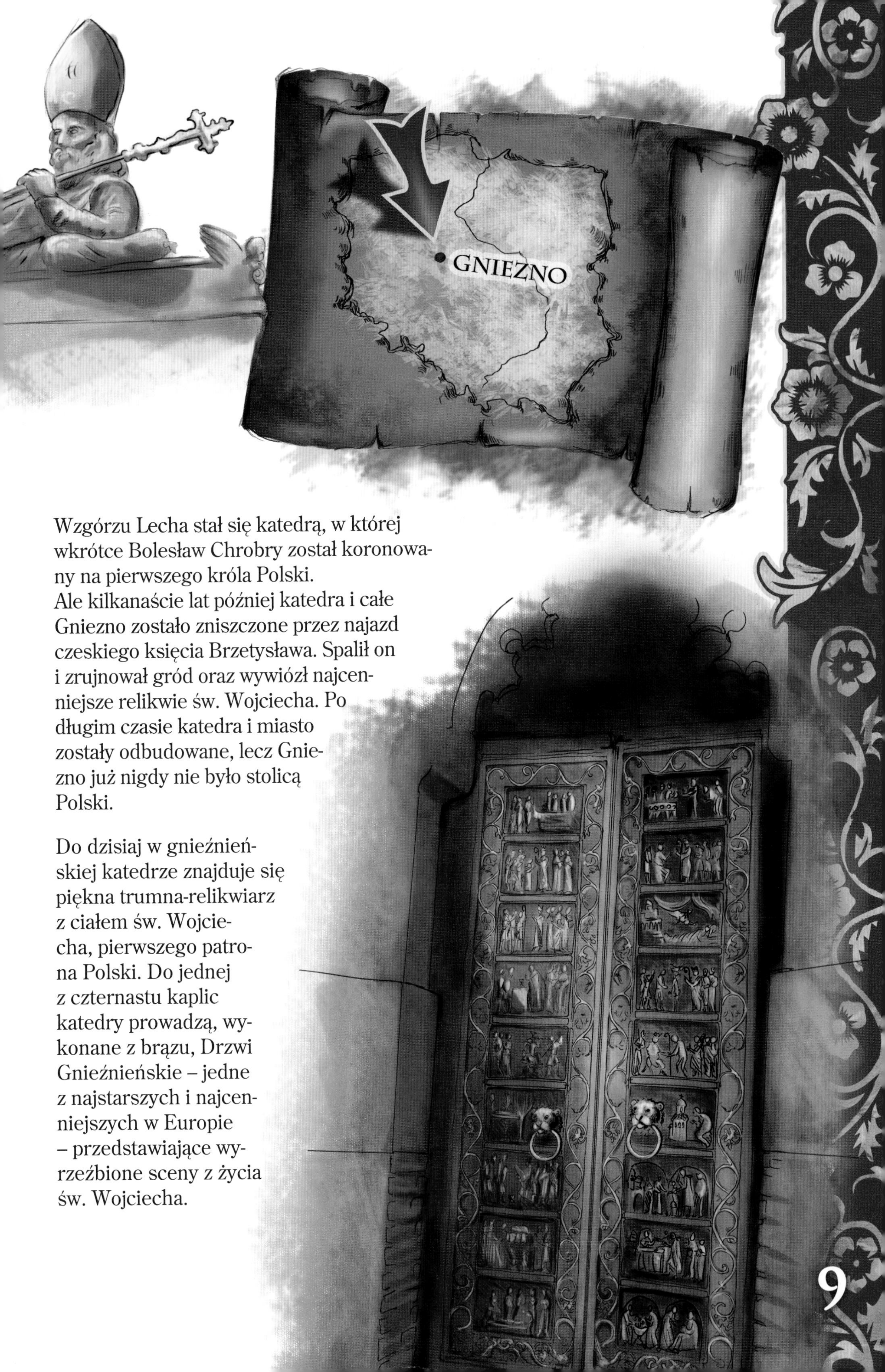

Wzgórzu Lecha stał się katedrą, w której wkrótce Bolesław Chrobry został koronowany na pierwszego króla Polski.
Ale kilkanaście lat później katedra i całe Gniezno zostało zniszczone przez najazd czeskiego księcia Brzetysława. Spalił on i zrujnował gród oraz wywiózł najcenniejsze relikwie św. Wojciecha. Po długim czasie katedra i miasto zostały odbudowane, lecz Gniezno już nigdy nie było stolicą Polski.

Do dzisiaj w gnieźnieńskiej katedrze znajduje się piękna trumna-relikwiarz z ciałem św. Wojciecha, pierwszego patrona Polski. Do jednej z czternastu kaplic katedry prowadzą, wykonane z brązu, Drzwi Gnieźnieńskie – jedne z najstarszych i najcenniejszych w Europie – przedstawiające wyrzeźbione sceny z życia św. Wojciecha.

3. Największa świątynia w Polsce – Licheń Stary

Legenda głosi, że na wzgórzu w Licheniu Starym nad Jeziorem Licheńskim stała kiedyś pogańska świątynia, w której czczono słowiańskie bóstwo Licho zsyłające na ludzi głód, biedę i choroby. Po świątyni tej dawno już nie ma śladu, a dziś Licheń słynie z sanktuarium maryjnego prowadzonego przez księży marianów, w którym czczony jest cudowny obraz Matki Bożej Licheńskiej.

Wszystko zaczęło się, gdy kowal z Izabelina, Tomasz Kłossowski, zawiesił w lesie na jednej z sosen niedaleko Lichenia małą kapliczkę z obrazkiem Maryi spoglądającej w dół, z białym orłem w koronie rozpostartym na Jej szacie. Przed tym obrazem pasterzowi Mikołajowi Sikatce kilka razy ukazała się Matka Boża, która wzywała do modlitwy i nawrócenia oraz prosiła o przeniesienie obrazu w inne, godne miejsce. Zrobiono to dopiero, gdy w okolicy wybuchła epidemia cholery.

Obraz Matki Boskiej Licheńskiej

Dzisiaj obraz Maryi – Bolesnej Królowej Polski znajduje się w głównym ołtarzu nowej bazyliki, największej świątyni w Polsce. Ma ona 365 okien, czyli tyle, ile jest dni w roku, oraz 52 drzwi – tyle, ile rok ma tygodni. Do kościoła wchodzi się po 33 schodach – tyle lat żył na ziemi Jezus Chrystus. W dzwonnicy bazyliki znajduje się największy w Polsce dzwon „Maryja Bogurodzica", ważący 15 ton, który bije każdego dnia w południe. Świątynię przykrywa ogromna kopuła pokryta aluminiowymi płytkami koloru złotego. Wewnątrz kościoła znajdują się także największe w Polsce organy. Mają one 20 tysięcy piszczałek, a największe osiągają 10 metrów wysokości. Na szczycie wysokiej wieży zbudowano dwa tarasy widokowe, na które można wejść po 762 schodach lub wyjechać windą na 27. piętro. Ogromna świątynia, która przypomina falujący złoty łan zboża, w małej wiosce robi niezwykłe wrażenie. Do Lichenia co roku przybywają rzesze pielgrzymów. Więcej odwiedza tylko Jasną Górę w Częstochowie.

DZWON „MARYJA BOGURODZICA"

4. Mysia Wieża w Kruszwicy nad Gopłem

Choć w jeziorze Gopło żyje największa słodkowodna ryba w Europie – sum europejski – to z miejscem tym bardziej związane są inne zwierzątka – małe szare myszy. Jak mówi legenda, to one zjadły złego króla Popiela. Stało się to w Kruszwicy, w Mysiej Wieży, która stoi nad brzegiem jeziora.

Popiel panował kiedyś w Gnieźnie. Był władcą okrutnym, złośliwym i zazdrosnym o władzę. Żeby się pozbyć swoich krewnych, zaprosił ich na ucztę i zabił, podając im zatrute wino. Tron odebrał mu sprawiedliwy, ubogi oracz Piast Kołodziej, któremu pomogli dwaj tajemniczy wędrowcy – możliwe, że byli to sami aniołowie. Piast zaprosił ich na postrzyżyny swojego syna. Była to uroczystość, w czasie której siedmioletniemu chłopcu po raz pierwszy obcinano włosy na znak, że nie jest już dzieckiem. Tajemniczy wędrowcy poszli najpierw do Popiela, którego syn także miał postrzyżyny, ale zły władca nie zaprosił przybyszów na ucztę, przez co

Król Popiel

SUM EUROPEJSKI

Największa ryba słodkowodna Europy. Osiąga ponad dwa metry długości i waży ponad 100 kilogramów. Nad górną szczęką ma dwa długie, a pod dolną cztery krótkie wąsy.

złamał świętą zasadę gościnności. Popiel za sprawowanie złych rządów i okrucieństwo wobec poddanych został usunięty z tronu i wygnany. Ukrył się wtedy w wieży w Kruszwicy, ale i tam dosięgła go sprawiedliwość, bo zjadły go myszy. Piast Kołodziej założył pierwszą polską dynastię – Piastów, czyli ród panujący, do którego należał między innymi Mieszko I i Bolesław Chrobry.

Mysia Wieża stoi do dzisiaj nad Gopłem w Kruszwicy, ale naprawdę została zbudowana przez innego Piasta, ostatniego władcę z tej dynastii, króla Kazimierza Wielkiego, wiele lat po czasach Popiela. Wieża była częścią zamku strzegącego Kruszwicę przed Krzyżakami. Z zewnątrz jest ośmioboczna, a wewnątrz okrągła. Otwory w murze nie są oknami, ale śladami po rusztowaniach, wykorzystywanych przez budowniczych zamku.

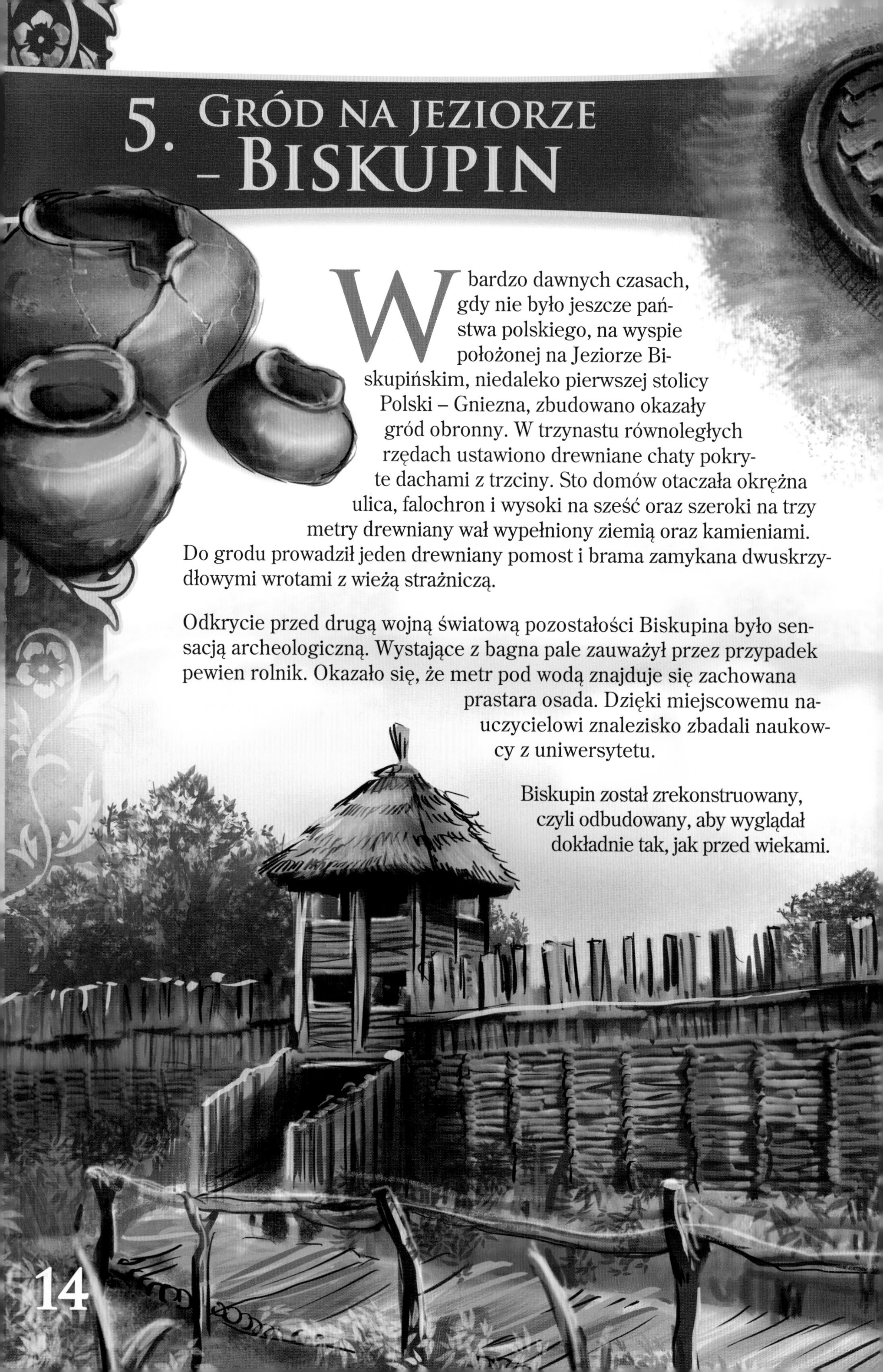

5. Gród na Jeziorze – Biskupin

W bardzo dawnych czasach, gdy nie było jeszcze państwa polskiego, na wyspie położonej na Jeziorze Biskupińskim, niedaleko pierwszej stolicy Polski – Gniezna, zbudowano okazały gród obronny. W trzynastu równoległych rzędach ustawiono drewniane chaty pokryte dachami z trzciny. Sto domów otaczała okrężna ulica, falochron i wysoki na sześć oraz szeroki na trzy metry drewniany wał wypełniony ziemią oraz kamieniami. Do grodu prowadził jeden drewniany pomost i brama zamykana dwuskrzydłowymi wrotami z wieżą strażniczą.

Odkrycie przed drugą wojną światową pozostałości Biskupina było sensacją archeologiczną. Wystające z bagna pale zauważył przez przypadek pewien rolnik. Okazało się, że metr pod wodą znajduje się zachowana prastara osada. Dzięki miejscowemu nauczycielowi znalezisko zbadali naukowcy z uniwersytetu.

Biskupin został zrekonstruowany, czyli odbudowany, aby wyglądał dokładnie tak, jak przed wiekami.

Dzisiaj można go nie tylko zwiedzać, ale nawet lepić na jego terenie garnki, piec chleb, karmić owce i kozy, uczyć się polować i strzelać z łuku, pływać dłubanką, czyli łódką, jaką pływali kiedyś mieszkańcy osady. Osadę biskupińską można także oglądać z pokładu statku o groźnej nazwie „Diabeł Wenecki".

Niedaleko Biskupina znajduje się wiele miejsc ważnych dla naszej historii, bo związanych z początkami państwa polskiego.

Kolejka wąskotorowa

Z Biskupina można odbyć interesującą podróż kolejką do Wenecji, gdzie znajduje się Muzeum Kolei Wąskotorowej z małymi parowozami, lokomotywami buchającymi parą i ciągnącymi małe wagoniki.

6. Stolica Kujaw – Włocławek i wielkie grobowce

Włocławek jest jednym z najstarszych polskich miast. Już w czasach pierwszego króla Polski Bolesława Chrobrego był ważnym i potężnym grodem. Zbudowano go przy przeprawie przez Wisłę. Także w późniejszych wiekach słynął z zamożności. Niektórzy historycy przypuszczają, że w mieście uczył się młody Mikołaj Kopernik, przyszły wielki astronom.

Patronem Włocławka jest bł. ks. bp Michał Kozal. W czasie drugiej wojny światowej został on aresztowany przez Niemców i uwięziony w obozie koncentracyjnym w Dachau. Tam, mimo że był prześladowany, pomagał innym więźniom, pocieszał ich i modlił się za nich. W końcu zachorował na tyfus i został zamordowany.

Bł. bp Michał Kozal

Miasto jest znane również z innego smutnego wydarzenia. Na tamie we Włocławku znaleziono ciało ks. Jerzego Popiełuszki, zamordowanego przez komunistów kapelana „Solidarności". Ksiądz Jerzy powtarzał zawsze, żeby się nie dać zwyciężyć złu, ale zło zwyciężać dobrem. W 2010 roku został ogłoszony błogosławionym.

Bł. ks. Jerzy Popiełuszko

Niedaleko Włocławka, w Wietrzychowicach, Sarnowie i Gaju odkryto w tamtejszych lasach ogromne głazy poukładane obok siebie w długie rzędy. Archeolodzy stwierdzili, że są to wielkie grobowce zbudowane bardzo dawno temu, przez ludzi, którzy posługiwali się kamiennymi narzędziami. Stoją już tam kilka tysięcy lat. W ich wnętrzu, w wyłożonych drewnem komorach, chowano zmarłych. Zachowały się ich szkielety, a także ślady po uczcie, jaką urządzano w dniu pogrzebu. Kujawskie grobowce są też nazywane polskimi piramidami, choć nie mają ich kształtu, ale są bardzo duże. Niektóre mają więcej niż 100 metrów długości. Kamienie, których użyto do budowy, ważą po kilka ton. Warto zobaczyć wielkie grobowce, bo robią niezwykłe wrażenie.

7. W Złotej Kaplicy, za Murami i w Bazarze – w Poznaniu

Nazwa tego jednego z najstarszych polskich miast pochodzi od imienia Poznan. Nie wiadomo jednak, kim był ów Poznan. Gród powstał na wyspie Ostrów Tumski, otoczonej ramionami Warty i Cybiny. Książę Mieszko I rozbudował go w potężną twierdzę i książęcą siedzibę. W katedrze poznańskiej pochowano pierwszych władców z dynastii Piastów: Mieszka I i Bolesława Chrobrego. Zbudowano dla nich Złotą Kaplicę, w której stoją dziś ich brązowe posągi wykonane przez rzeźbiarza z Berlina. Kaplicę św. Stanisława wystawił dla swojej żony Rychezy książę Wielkopolski Przemysł II, który został także królem Polski. W kaplicy św. Marcina umieszczono obraz przedstawiający legendę o św. Marcinie.

Po drugiej stronie Cybiny znajduje się tak zwana Śródka, gdzie stoi kościół św. Jana Jerozolimskiego za Murami. Został on zbudowany dla Zakonu Szpitalników, czyli joannitów. Był to jeden z zakonów rycerskich, który prawie 1000 lat temu powstał w Ziemi Świętej dla obrony chrześcijan. Joannici nie tylko walczyli zbrojnie, ale także zakładali szpitale i opiekowali się pielgrzymami.

Złota Kaplica

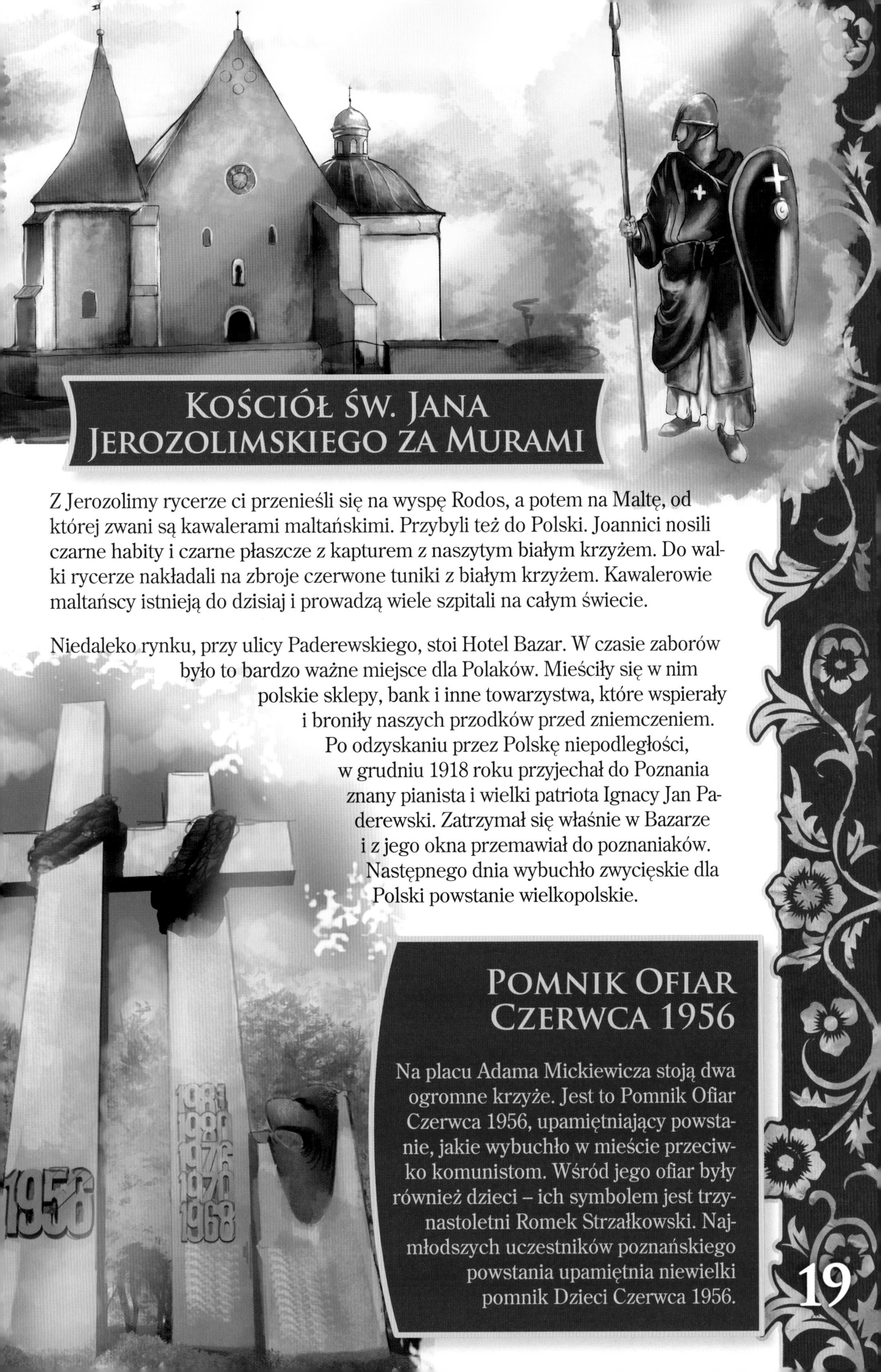

Kościół Św. Jana Jerozolimskiego za Murami

Z Jerozolimy rycerze ci przenieśli się na wyspę Rodos, a potem na Maltę, od której zwani są kawalerami maltańskimi. Przybyli też do Polski. Joannici nosili czarne habity i czarne płaszcze z kapturem z naszytym białym krzyżem. Do walki rycerze nakładali na zbroje czerwone tuniki z białym krzyżem. Kawalerowie maltańscy istnieją do dzisiaj i prowadzą wiele szpitali na całym świecie.

Niedaleko rynku, przy ulicy Paderewskiego, stoi Hotel Bazar. W czasie zaborów było to bardzo ważne miejsce dla Polaków. Mieściły się w nim polskie sklepy, bank i inne towarzystwa, które wspierały i broniły naszych przodków przed zniemczeniem. Po odzyskaniu przez Polskę niepodległości, w grudniu 1918 roku przyjechał do Poznania znany pianista i wielki patriota Ignacy Jan Paderewski. Zatrzymał się właśnie w Bazarze i z jego okna przemawiał do poznaniaków. Następnego dnia wybuchło zwycięskie dla Polski powstanie wielkopolskie.

Pomnik Ofiar Czerwca 1956

Na placu Adama Mickiewicza stoją dwa ogromne krzyże. Jest to Pomnik Ofiar Czerwca 1956, upamiętniający powstanie, jakie wybuchło w mieście przeciwko komunistom. Wśród jego ofiar były również dzieci – ich symbolem jest trzynastoletni Romek Strzałkowski. Najmłodszych uczestników poznańskiego powstania upamiętnia niewielki pomnik Dzieci Czerwca 1956.

8. Poznańskie legendy: Rogale św. Marcina i poznańskie koziołki

Gdy poznański piekarz Walenty usłyszał w kościele historię rzymskiego żołnierza św. Marcina, który podarował połowę swojego płaszcza żebrakowi, też zapragnął zrobić coś dobrego dla biednych. W modlitwie poprosił nawet o pomoc samego św. Marcina. Zdziwił się jednak bardzo, kiedy święty przyjechał do niego na białym koniu i nic nie powiedział, tylko zostawił na ziemi podkowę. Walenty wpadł wtedy na pomysł, żeby napiec ciastek w kształcie podkowy, nadzianych makiem oraz bakaliami, i rozdać je przed kościołem 11 listopada, w dzień odpustu ku czci św. Marcina. Jak postanowił, tak zrobił. W ten sposób powstały świętomarcińskie rogale, wypiekane od przeszło 100 lat tylko w Poznaniu z okazji odpustu 11 listopada, zawsze z tym samym nadzieniem z białego maku, bakalii i śmietany. W ten dzień także po Mszy Świętej wyrusza barwny korowód ulicą Świętego Marcina z kościoła pod zamek cesarza Wilhelma, gdzie św. Marcin dostaje klucze do miasta. Poznaniacy i goście bawią się dobrze aż do wieczora. Mistrz Bartłomiej zrobił piękny zegar na ratuszową wieżę w Poznaniu.

Święty Marcin

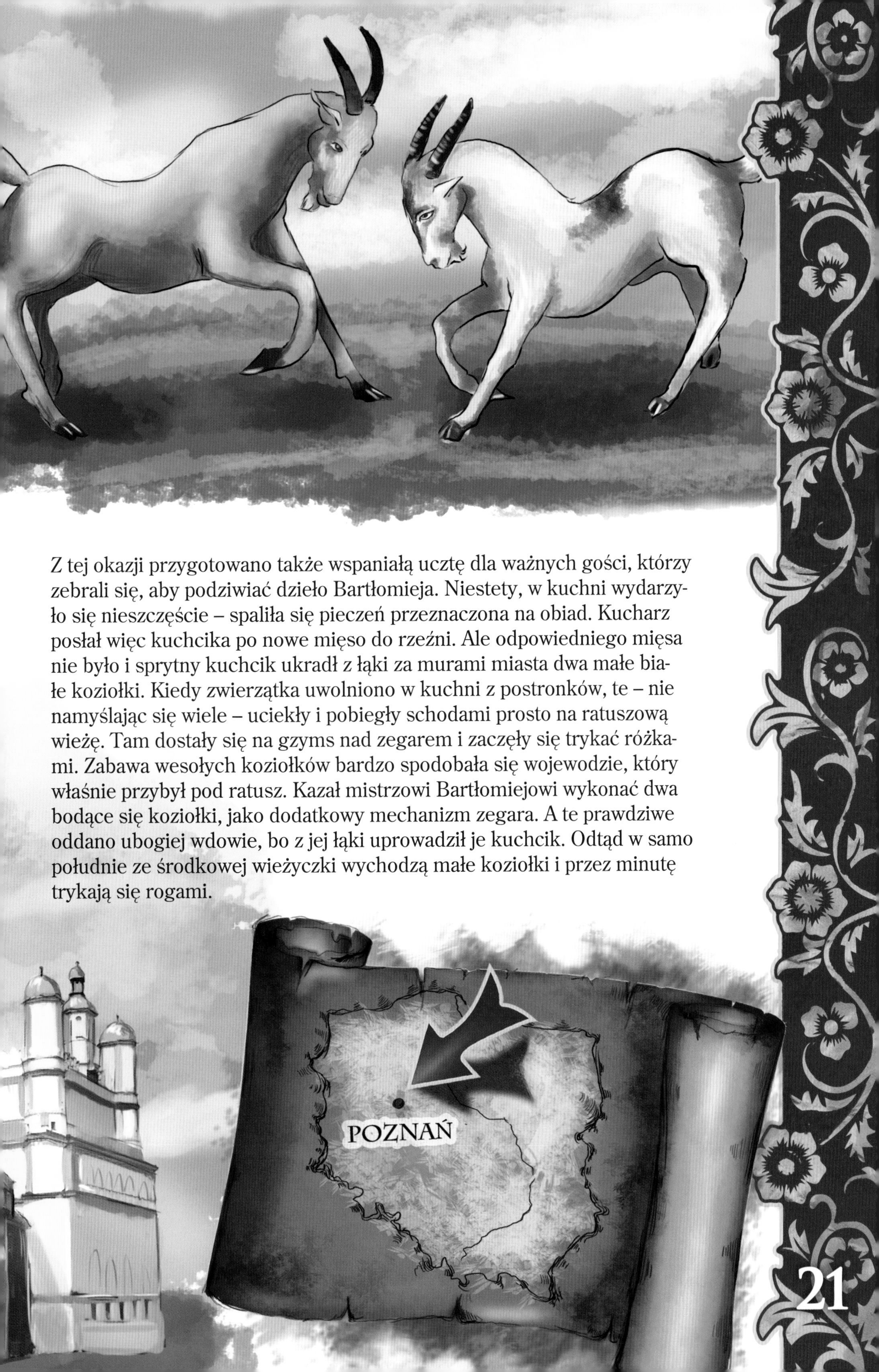

Z tej okazji przygotowano także wspaniałą ucztę dla ważnych gości, którzy zebrali się, aby podziwiać dzieło Bartłomieja. Niestety, w kuchni wydarzyło się nieszczęście – spaliła się pieczeń przeznaczona na obiad. Kucharz posłał więc kuchcika po nowe mięso do rzeźni. Ale odpowiedniego mięsa nie było i sprytny kuchcik ukradł z łąki za murami miasta dwa małe białe koziołki. Kiedy zwierzątka uwolniono w kuchni z postronków, te – nie namyślając się wiele – uciekły i pobiegły schodami prosto na ratuszową wieżę. Tam dostały się na gzyms nad zegarem i zaczęły się trykać różkami. Zabawa wesołych koziołków bardzo spodobała się wojewodzie, który właśnie przybył pod ratusz. Kazał mistrzowi Bartłomiejowi wykonać dwa bodące się koziołki, jako dodatkowy mechanizm zegara. A te prawdziwe oddano ubogiej wdowie, bo z jej łąki uprowadził je kuchcik. Odtąd w samo południe ze środkowej wieżyczki wychodzą małe koziołki i przez minutę trykają się rogami.

9. Pszczoły ze Swarzędza i miniaturki z Pobiedzisk

W Swarzędzu pod Poznaniem, w rozległym parku, który kiedyś otaczał dwór w Nowej Wsi, urządzono największy w Europie skansen pszczelarski. Od pół wieku stoją w nim najprzeróżniejsze ule. Jest ich ponad dwieście. Możemy na przykład zobaczyć ul w kształcie niedźwiedzia lub Łowiczanki, czyli dziewczyny ubranej w ludowy strój łowicki, z piękną spódnicą w kolorowe pasy. Inny pszczeli dom ma postać św. Ambrożego – patrona pszczelarzy. Są też ule w kształcie budowli. Pracowite owady mieszkają w operze poznańskiej, poznańskim ratuszu, ale też w zwykłej góralskiej chacie. Jeden z najcenniejszych uli ma już przeszło pół tysiąca lat. Został znaleziony i wydobyty z dna Wisły. Należy do uli kłodowych, czyli wydrążonych w pniu drzewa. Dawniej ule nazywano barciami, a pszczelarzy, którzy opiekowali się pszczołami i wybierali miód – bartnikami. Do dzisiaj istnieją miejscowości o takiej nazwie, a oznacza to,

że kiedyś dawno temu ich mieszkańcy zajmowali się hodowaniem pszczół. W skansenie rośnie także wiele miododajnych drzew, jak lipy, klony, kasztanowce oraz bardzo rzadka w Polsce roślina – perełkowiec.

Pobiedziska nie są dużym miastem, ale za to bardzo starym, bo mają już prawie tysiąc lat. Leżą między Gnieznem a Poznaniem, na ważnym historycznym Szlaku Piastowskim, związanym z początkiem dziejów Polski. Zgodnie z tradycją nazwę miejscowości od słowa „pobieda", czyli zwycięstwo, nadał książę Kazimierz Odnowiciel. Bywał tu często król Władysław Jagiełło, który wybudował mieszkańcom kościół św. Ducha i szpital.

W miasteczku powstał skansen, w którym można zobaczyć 100 historycznych budowli i fragmenty wielkopolskich miast. Wszystkie zostały pomniejszone 20 razy, ale zbudowane przeważnie z takiego samego materiału, jak te prawdziwe, duże. W skansenie znajduje się między innymi zagroda z Biskupina, Katedra Gnieźnieńska, Rynek w Poznaniu, Rynek w Pobiedziskach, Pałac w Rogalinie i wiele innych.

10. Wóz Drzymały i dzieci z Wrześni

Michał Drzymała był polskim chłopem z Poznańskiego. Kiedy żył, Polski nie było na mapie Europy, bo trzej zaborcy: Prusy, Rosja i Austria włączyli nasze ziemie do swoich państw.

Drzymała mieszkał w Poznańskiem, wtedy pod pruskim zaborem. Jego wieś nazywała się Podgradowice. W niej kupił sobie kawałek ziemi i chciał na nim wybudować dom. Ale władze pruskie, które prześladowały Polaków, nie wydały zgody na budowę. Wtedy Michał kupił wóz cyrkowy i w nim zamieszkał. Władze chciały mu go zabrać, bo mówiły, że jak wóz stoi w jednym miejscu przez jeden dzień i noc, to już jest domem. Wobec tego Drzymała codziennie przesuwał go o kawałek, żeby był w ruchu. Po kilku latach Prusacy zabrali jednak Drzymale wóz. Wówczas zbudował na swojej działce lepiankę, którą wkrótce mu zburzono. Musiał wtedy sprzedać ziemię i kupił inną ze starym domem. Ale przez swój upór i wytrwałą walkę z zaborcą, stał się znany i sławny w Polsce i Europie. Jego wóz jest symbolem przeciwstawienia się germanizacji, czyli zmuszaniu Polaków do porzucenia polskiej tradycji, wiary, języka i kultury, a przyjmowania wszystkiego, co niemieckie. Niemcy wiedzieli, jak niebezpieczny był dla nich Drzymała, bo pokazywał innym Polakom,

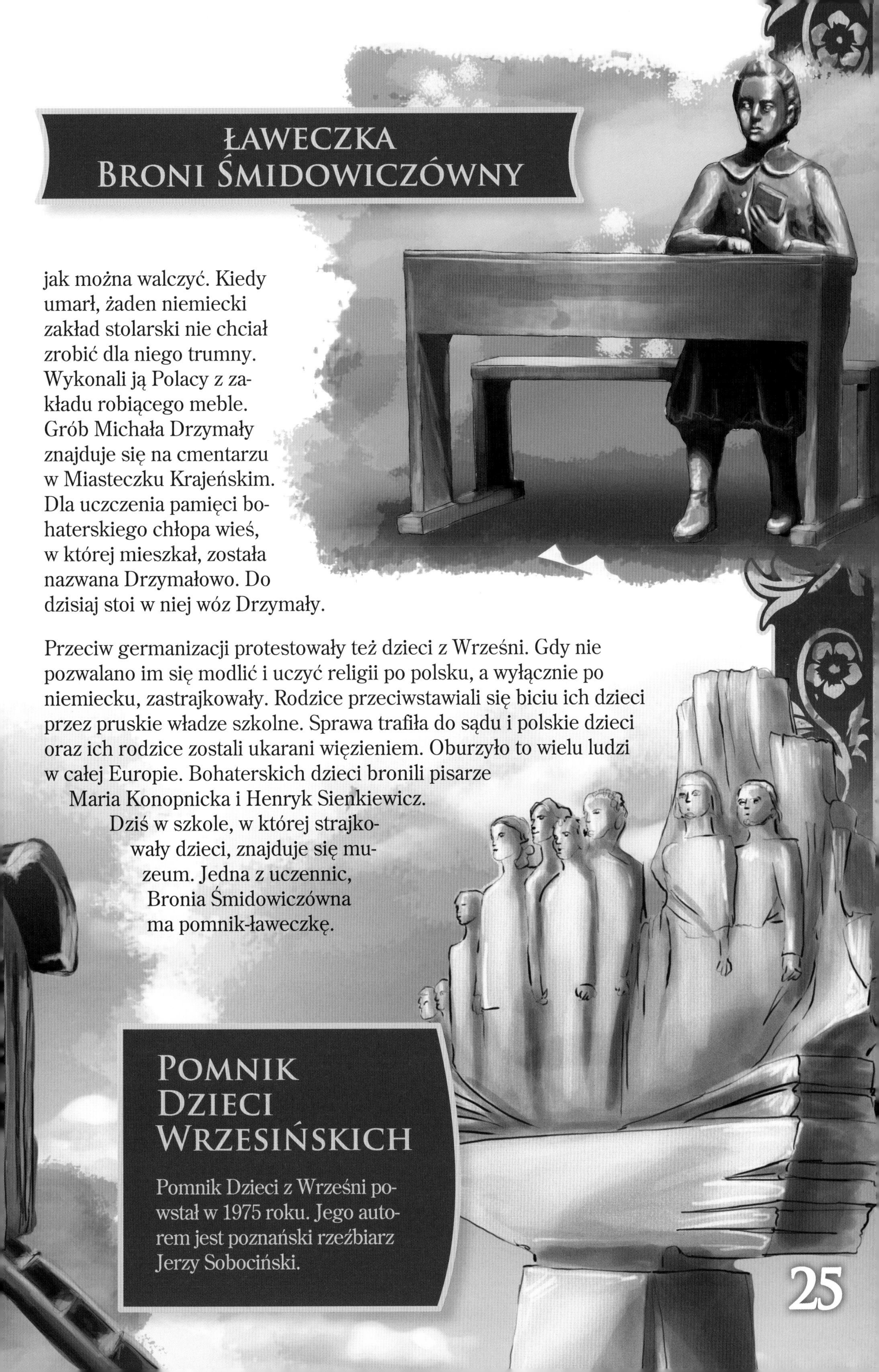

Ławeczka Broni Śmidowiczówny

jak można walczyć. Kiedy umarł, żaden niemiecki zakład stolarski nie chciał zrobić dla niego trumny. Wykonali ją Polacy z zakładu robiącego meble. Grób Michała Drzymały znajduje się na cmentarzu w Miasteczku Krajeńskim. Dla uczczenia pamięci bohaterskiego chłopa wieś, w której mieszkał, została nazwana Drzymałowo. Do dzisiaj stoi w niej wóz Drzymały.

Przeciw germanizacji protestowały też dzieci z Wrześni. Gdy nie pozwalano im się modlić i uczyć religii po polsku, a wyłącznie po niemiecku, zastrajkowały. Rodzice przeciwstawiali się biciu ich dzieci przez pruskie władze szkolne. Sprawa trafiła do sądu i polskie dzieci oraz ich rodzice zostali ukarani więzieniem. Oburzyło to wielu ludzi w całej Europie. Bohaterskich dzieci bronili pisarze Maria Konopnicka i Henryk Sienkiewicz. Dziś w szkole, w której strajkowały dzieci, znajduje się muzeum. Jedna z uczennic, Bronia Śmidowiczówna ma pomnik-ławeczkę.

Pomnik Dzieci Wrzesińskich

Pomnik Dzieci z Wrześni powstał w 1975 roku. Jego autorem jest poznański rzeźbiarz Jerzy Sobociński.

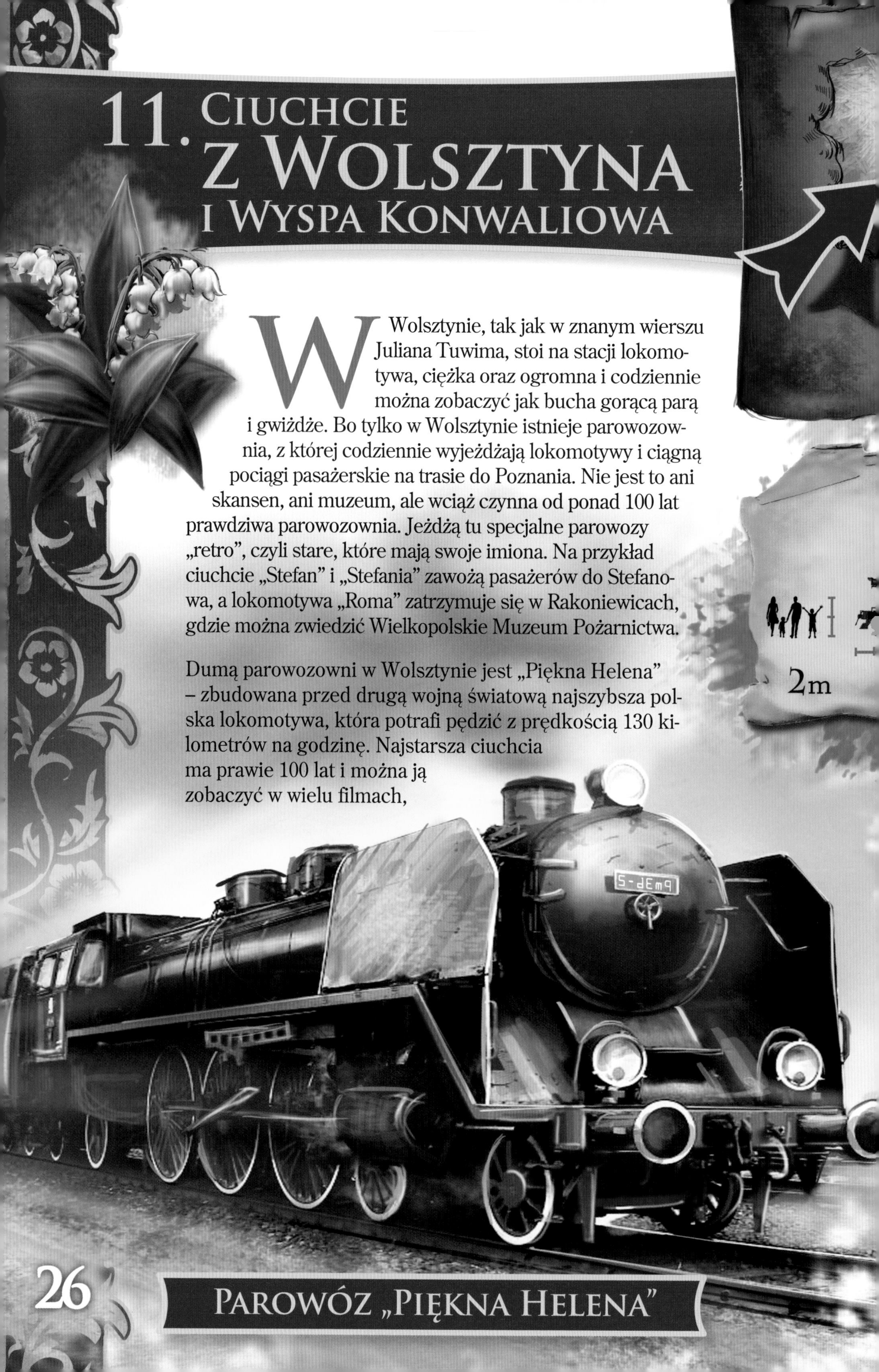

11. Ciuchcie z Wolsztyna i Wyspa Konwaliowa

W Wolsztynie, tak jak w znanym wierszu Juliana Tuwima, stoi na stacji lokomotywa, ciężka oraz ogromna i codziennie można zobaczyć jak bucha gorącą parą i gwiżdże. Bo tylko w Wolsztynie istnieje parowozownia, z której codziennie wyjeżdżają lokomotywy i ciągną pociągi pasażerskie na trasie do Poznania. Nie jest to ani skansen, ani muzeum, ale wciąż czynna od ponad 100 lat prawdziwa parowozownia. Jeżdżą tu specjalne parowozy „retro", czyli stare, które mają swoje imiona. Na przykład ciuchcie „Stefan" i „Stefania" zawożą pasażerów do Stefanowa, a lokomotywa „Roma" zatrzymuje się w Rakoniewicach, gdzie można zwiedzić Wielkopolskie Muzeum Pożarnictwa.

Dumą parowozowni w Wolsztynie jest „Piękna Helena" – zbudowana przed drugą wojną światową najszybsza polska lokomotywa, która potrafi pędzić z prędkością 130 kilometrów na godzinę. Najstarsza ciuchcia ma prawie 100 lat i można ją zobaczyć w wielu filmach,

na przykład w *Pianiście* Romana Polańskiego. Najcięższy parowóz z Wolsztyna waży 190 ton i nie wszystkie tory są w stanie wytrzymać tak duży nacisk. Najdłuższa lokomotywa ma 24 metry, a najkrótsza mierzy ich zaledwie 10. W parowozowni zgromadzono 30 lokomotyw.

Co roku w Wolsztynie odbywa się wielka Parada Parowozów. Przyjeżdżają na nią lokomotywy z całej Polski, a także z zagranicy. Przejazd wielu ciężkich, sapiących, buchających parą i gwiżdżących ciuchć robi na widzach ogromne wrażenie.

Koło Wolsztyna w gminie Przemęt znajduje się niezwykłe miejsce. Jest nim Wyspa Konwaliowa na Jeziorze Radomierskim. Rosną na niej stare stuletnie dęby oraz wiele cennych, chronionych roślin, jak choćby lilia złotogłów czy kosaciec syberyjski. Ale nazwa wyspy pochodzi od konwalii majowych z pręcikami o różowym zabarwieniu, które pokrywają zacienione drzewami miejsca na całej jej powierzchni.

12. Biała Dama z Kórnika i Czarna Dama z Szamotuł

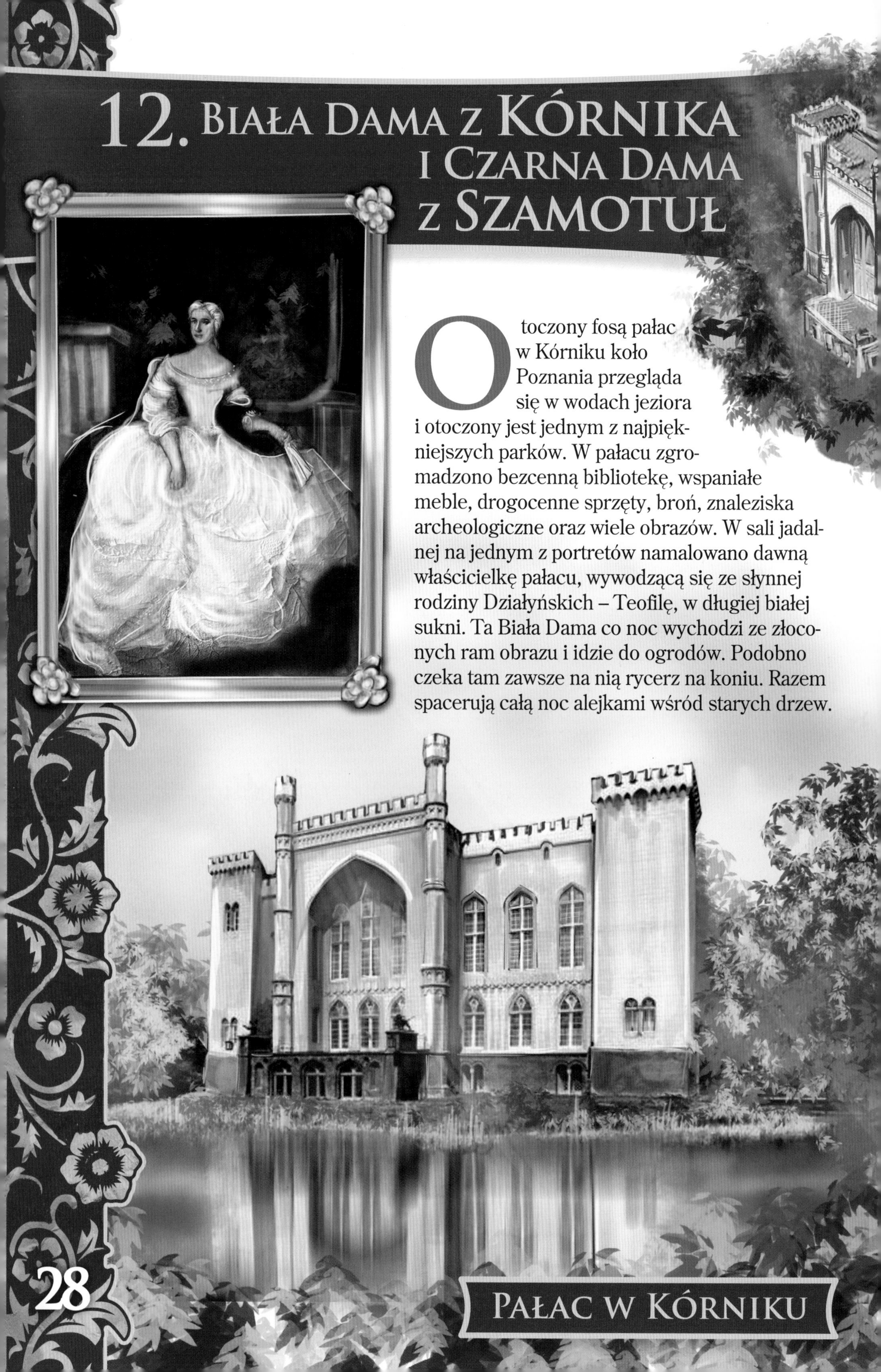

Otoczony fosą pałac w Kórniku koło Poznania przegląda się w wodach jeziora i otoczony jest jednym z najpiękniejszych parków. W pałacu zgromadzono bezcenną bibliotekę, wspaniałe meble, drogocenne sprzęty, broń, znaleziska archeologiczne oraz wiele obrazów. W sali jadalnej na jednym z portretów namalowano dawną właścicielkę pałacu, wywodzącą się ze słynnej rodziny Działyńskich – Teofilę, w długiej białej sukni. Ta Biała Dama co noc wychodzi ze złoconych ram obrazu i idzie do ogrodów. Podobno czeka tam zawsze na nią rycerz na koniu. Razem spacerują całą noc alejkami wśród starych drzew.

Pani Teofila nie może zaznać spokoju, bo kiedyś kazała rozebrać ruiny stojącego w pobliżu myśliwskiego zameczku. A w ruinach tych był podobno ukryty skarb, którego strzegły same diabły. Złe duchy tak zawzięły się na Białą Damę, że każą jej się błąkać po nocy, dopóki skarb nie zostanie odnaleziony.

Legenda głosi, że w zamku Górków w Szamotułach wydarzyła się kiedyś straszna historia. W jednej z jego baszt, nazywanej dziś Basztą Halszki, przez długie lata mąż więził swoją żonę. Elżbieta Ostrogska, nazywana Halszką, była dziedziczką ogromnej fortuny i o jej rękę starało się wielu bogatych kawalerów. Jednak król nakazał Halszce poślubić Łukasza Górkę, możnowładcę z Wielkopolski. Ponieważ dziewczyna nie chciała go za męża, po ślubie wywiózł ją do Szamotuł i uwięził w baszcie. Na dodatek nałożył jej na twarz żelazną maskę, aby nikt nie mógł podziwiać jej urody. W tej masce i czarnej sukni mogła przechodzić podziemnym korytarzem z wieży do kolegiaty i uczestniczyć w nabożeństwach. Jeszcze dziś w pochmurną, bezksiężycową noc można zobaczyć, jak czarna księżniczka przechadza się koło swojej baszty, a gdy wejdzie do niej, słychać jej płacz i zawodzenie.

Choć Halszka naprawdę nie chciała swojego męża, to nie była więźniem baszty, ale mieszkała tam w czasie remontu zamku. Piękną księżniczkę namalował Jan Matejko na obrazie *Kazanie Skargi*. Halszka stoi w środku obrazu w czarnej sukni z białą kryzą.

13. Wielkopolski Park Narodowy i dęby z Rogalina

Wielkopolski Park Narodowy chroni polodowcowy krajobraz, czyli taki, który pozostał po tym, jak dawno, dawno temu lodowiec pokrywający Europę zaczął się cofać – topić. Pozostawił po sobie różne wzniesienia, nazywane morenami, ozami, drumlinami lub wydmami, jeziora i głazy narzutowe. Największym takim głazem w parku jest Głaz Leśników, znajdujący się w pobliżu miejscowości Jeziory. Ma on 4 metry wysokości, przeszło 10 metrów w obwodzie i waży 20 ton. W Jeziorach nad Jeziorem Góreckim znajduje się Muzeum Przyrodnicze Wielkopolskiego Parku Narodowego.

Jelonek rogacz

Na terenie Wielkopolskiego Parku Narodowego rosną stare sosnowe bory, w których mieszkają chrząszcze – jelonek rogacz i kozioróg dębosz, a także inne owady, jak pasikonik zielony, świerszcz polny czy mrówka rudnica. W lasach żyje także dużo jeleni, saren i dzików. Liczne są również ptaki, w tym rzadka kraska, zimorodek, dzięcioł czarny lub drapieżna kania czarna.

Kozioróg dębosz

W okolicy Rogalina po obu stronach Warty rośnie prawie 1500 dębów. Wiele z nich jest bardzo starych i ma imponujące rozmiary. Rogalińskie dęby są symbolem Wielkopolski.

Dawno, dawno temu trzej bracia – książęta: Lech, Czech i Rus polowali w puszczy nad Wartą. Bardzo się ucieszyli, kiedy napotkali duże stado łosi. Na jego czele kroczył wyjątkowo piękny i dorodny rogacz. W pogoni za nim myśliwi trafili na leśną polanę, na której rosły wielkie dęby. Otoczony ze wszystkich stron rogacz nie miał gdzie uciec i czekała go śmierć. Ale nagle Lech krzyknął, żeby nie zabijać łosia, bo znajduje się w świętym gaju. Zaraz też na polanę wyszedł strażnik gaju, stary kapłan Światowida, ubrany w białą szatę, i zaprosił gości na poczęstunek. Lech rozkazał wybudować dla starca kącinę, czyli pogańską świątynię. W miejscu tym powstała też osada nazwana Rogalinem, na pamiątkę spotkania z rogaczem łosia.

Po latach do Rogalina przybyli posłańcy od księcia Mieszka, który rozkazał zniszczyć posąg Światowida, bo Polska przyjęła chrześcijaństwo. Na pogańskiej świątyni przybito dębowy krzyż – znak wiary w Chrystusa. Trzy potężne dęby rosnące na polanie, mające od sześciu do dziewięciu metrów w obwodzie, zostały nazwane imionami dawnych myśliwych: Lech, Czech oraz Rus. Do dzisiaj można je podziwiać w Rogalinie.

KRASKA

MRÓWKA RUDNICA

14. Kalisz – miasto na Bursztynowym Szlaku

Nazwa Kalisz pochodzi od dawnego słowa „kał" oznaczającego mokradła i błota. Kronikarz Jan Długosz pisał, że Kalisz jest najstarszym miastem Polski. Prawie dwa tysiące lat temu wymienił go już w swoich pismach starożytny astronom i geograf Ptolemeusz. Wspominał on o osadzie Calisia, leżącej na Bursztynowym Szlaku. Bursztyn był od wieków bardzo cenny i kupcy chętnie wyprawiali się po niego nad Bałtyk. Niedaleko Kalisza, w Zagórzynie jeszcze przed wojną znaleziono bezcenny skarb. Było w nim wiele srebrnych monet, ważących razem 20 kilogramów, a także pochodzące ze starożytnego Rzymu złote monety, oraz sześć złotych medalionów. Niestety, tylko niektóre przedmioty trafiły do muzeum. Większość skarbów została rozprzedana, a nawet przetopiona.

Kiedyś miasto było otoczone murami obronnymi, ale do naszych czasów dotrwała tylko jedna baszta, z którą związana jest legenda o uroczej córce starosty Kalisza – Dorotce. Ojciec bardzo chciał dobrze wydać ją za mąż. Ale choć kawalerów nie brakowało, Dorotka nie chciała żadnego. Bardziej od przyszłego męża obchodziły ją piękne trzewiki, które raz w miesiącu szył dla niej szewczyk Marcin. Kiedy w mieście wybuchła zaraza, a starosta musiał wyjechać w podróż, Marcin często odwiedzał Dorotkę i robił coraz piękniejsze buciki. W końcu starościanka

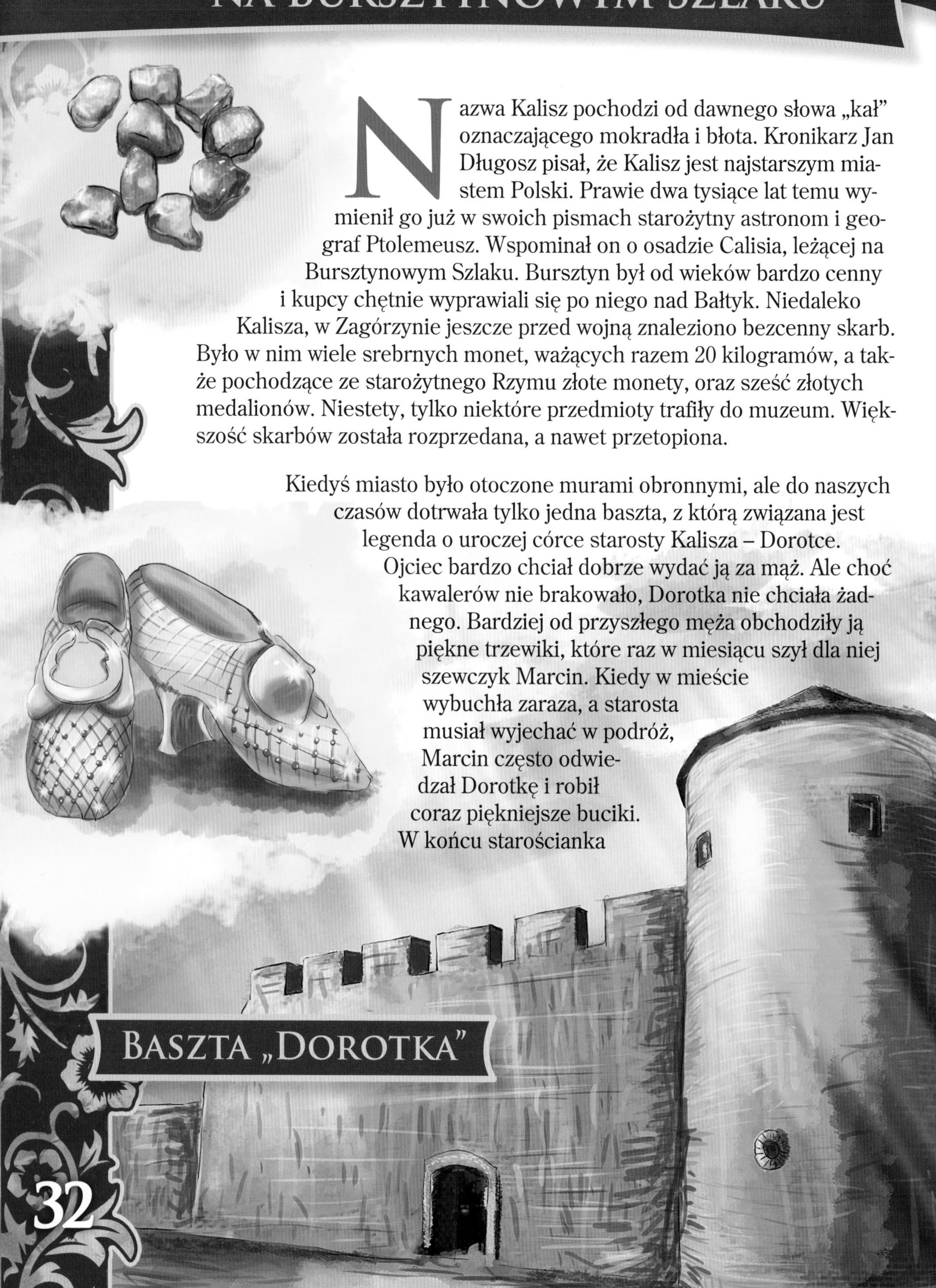

Baszta „Dorotka"

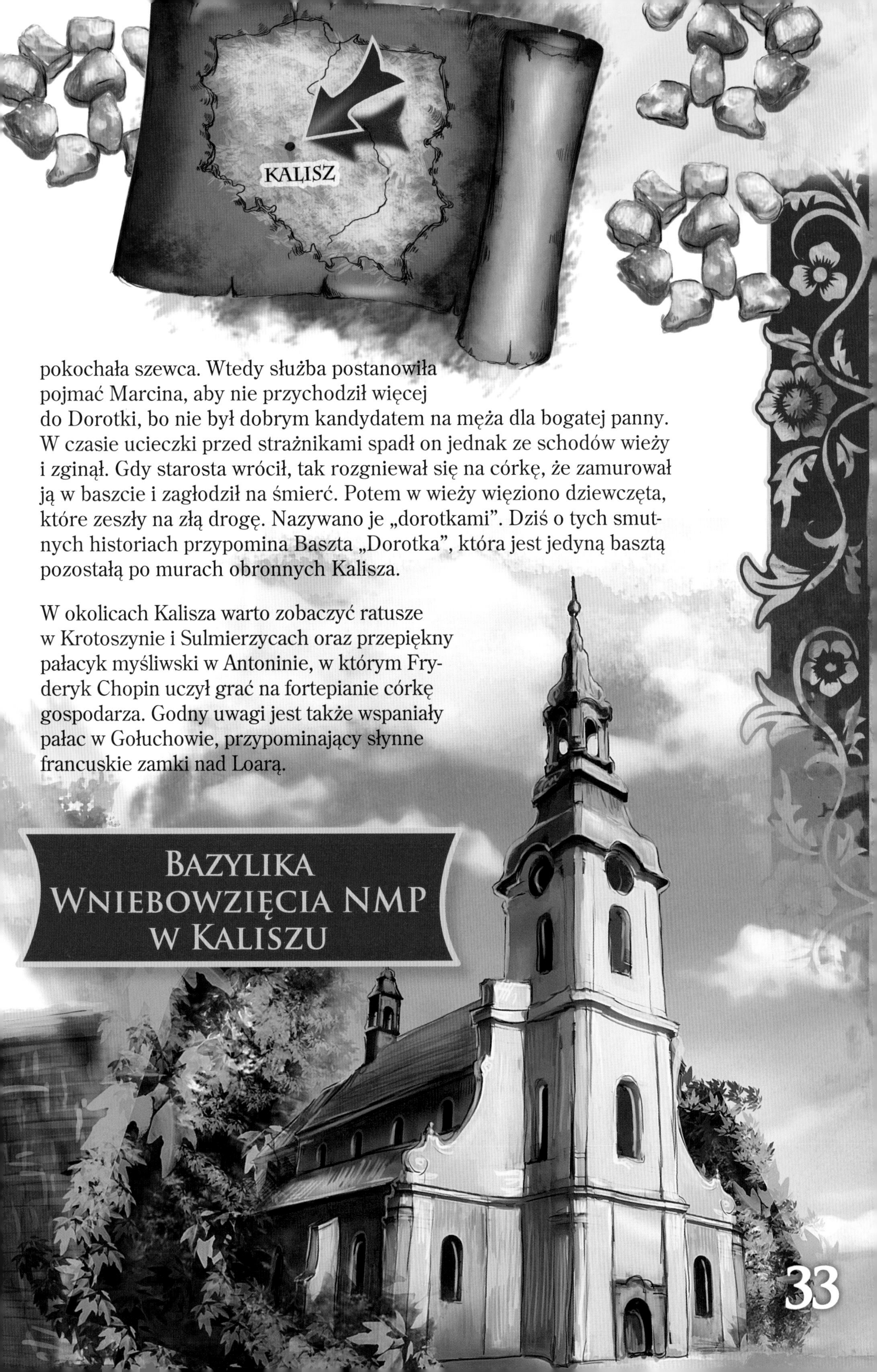

pokochała szewca. Wtedy służba postanowiła pojmać Marcina, aby nie przychodził więcej do Dorotki, bo nie był dobrym kandydatem na męża dla bogatej panny. W czasie ucieczki przed strażnikami spadł on jednak ze schodów wieży i zginął. Gdy starosta wrócił, tak rozgniewał się na córkę, że zamurował ją w baszcie i zagłodził na śmierć. Potem w wieży więziono dziewczęta, które zeszły na złą drogę. Nazywano je „dorotkami". Dziś o tych smutnych historiach przypomina Baszta „Dorotka", która jest jedyną basztą pozostałą po murach obronnych Kalisza.

W okolicach Kalisza warto zobaczyć ratusze w Krotoszynie i Sulmierzycach oraz przepiękny pałacyk myśliwski w Antoninie, w którym Fryderyk Chopin uczył grać na fortepianie córkę gospodarza. Godny uwagi jest także wspaniały pałac w Gołuchowie, przypominający słynne francuskie zamki nad Loarą.

Bazylika Wniebowzięcia NMP w Kaliszu

15. Pięciu Braci Męczenników

Książę Bolesław Chrobry zaprosił benedyktynów z Włoch, aby założyli na ziemiach polskich swój klasztor. Przybyli wtedy trzej mnisi: Benedykt, Jan i Barnaba. Wcześniej przebywali oni między innymi w bardzo znanym, założonym przez św. Benedykta z Nursji, klasztorze na Monte Cassino. Do włoskich zakonników dołączyło trzech Polaków: dwóch rodzonych braci – Izaak i Mateusz, oraz Krystyn, który był w klasztorze kucharzem. Nie wiadomo dokładnie, gdzie benedyktyni zamieszkali. Tradycja mówi o pustelni w Kazimierzu Biskupim lub o Międzyrzeczu. W 1003 roku, wkrótce po przybyciu mnichów do Polski, zostali oni zaatakowani przez rabusiów i zabici. Uratował się tylko Barnaba, którego nie było w czasie napadu w klasztorze. Po śmierci braci zamieszkał w pustelni w Bieniszewie. Zamordowani benedyktyni są znani jako Pięciu Braci Męczenników. Ich relikwie przechowywane były najpierw w Gnieźnie i we włoskim Ascoli. Potem wraz z innymi skarbami zostały zrabowane przez Czechów i wywiezione do Pragi. Pięćset lat później zwrócono je na

Kościół św. Jana Chrzciciela i Pięciu Braci Męczenników

prośbę polskiego biskupa i rozdzielono do różnych kościołów, w tym do parafii w Kazimierzu Biskupim, Bieniszewie, Międzyrzeczu i Poznaniu. W 2003 roku minęło 1000 lat od śmierci Pięciu Braci Męczenników.

W Kazimierzu Biskupim znajduje się kościół św. Jana Chrzciciela i Pięciu Braci Męczenników, który ma już 500 lat. Prawie dwa razy starszy jest parafialny kościół św. Marcina. Był on wielokrotnie odbudowywany po pożarach. W jego ściany wstawiono kamienne bloki, tak zwane ciosy. Jak mówi tradycja, pochodzą one z murów pierwszej kaplicy zbudowanej przez Pięciu Braci Męczenników.

Klasztor Kamedułów w Bieniszewie

Jak podają niektóre źródła, w Bieniszewie na Sowiej Górze – miejscu męczeńskiej śmierci Pięciu Braci – zbudowano klasztor kamedułów. W pustelniczych eremach, czyli małych domkach, mieszkają zakonnicy. Do kościoła nie mogą wchodzić kobiety. Wyjątkiem jest niedzielna Msza Święta i niektóre święta.

16. Najstarszy znak drogowy w Koninie

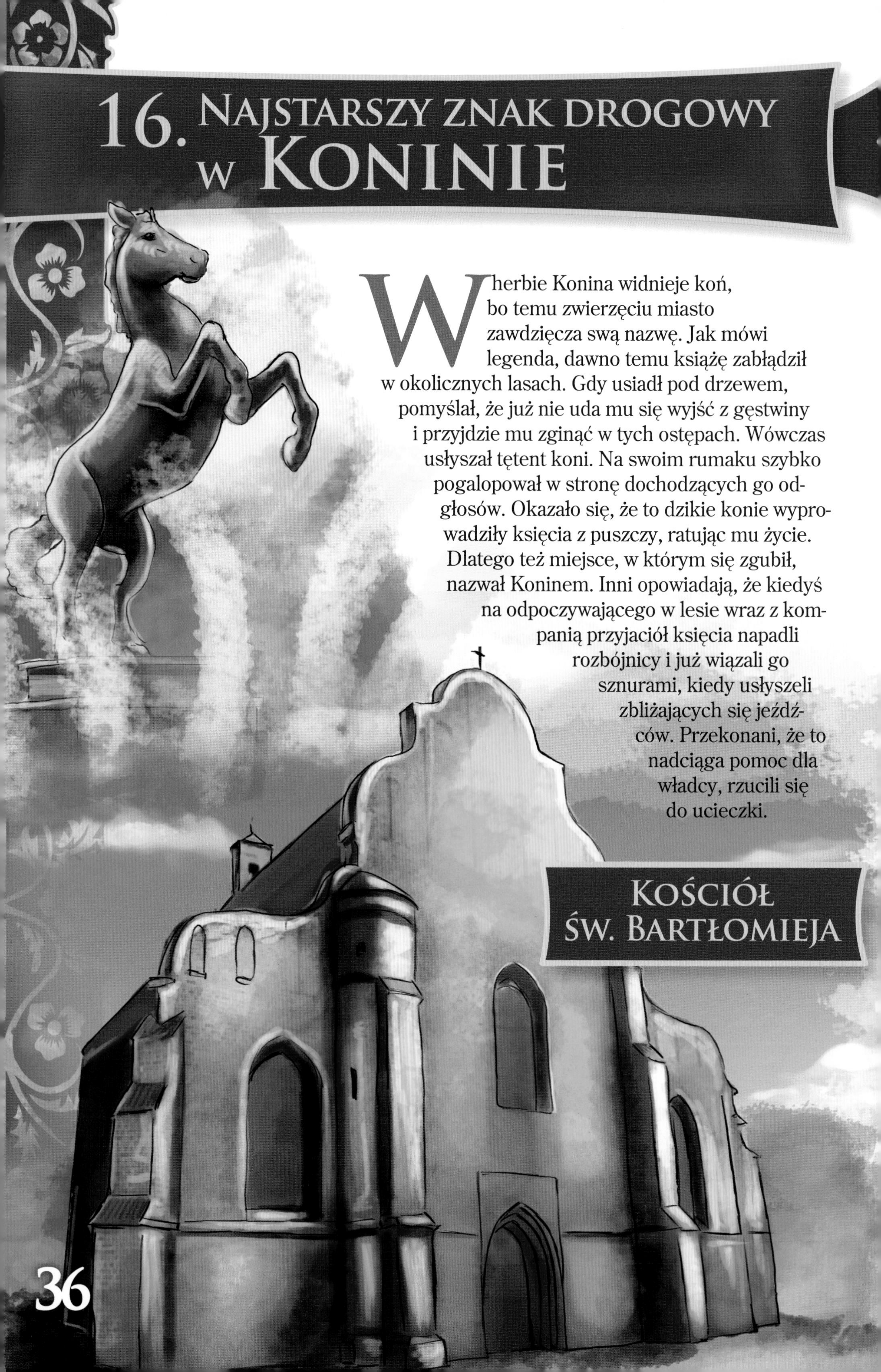

W herbie Konina widnieje koń, bo temu zwierzęciu miasto zawdzięcza swą nazwę. Jak mówi legenda, dawno temu książę zabłądził w okolicznych lasach. Gdy usiadł pod drzewem, pomyślał, że już nie uda mu się wyjść z gęstwiny i przyjdzie mu zginąć w tych ostępach. Wówczas usłyszał tętent koni. Na swoim rumaku szybko pogalopował w stronę dochodzących go odgłosów. Okazało się, że to dzikie konie wyprowadziły księcia z puszczy, ratując mu życie. Dlatego też miejsce, w którym się zgubił, nazwał Koninem. Inni opowiadają, że kiedyś na odpoczywającego w lesie wraz z kompanią przyjaciół księcia napadli rozbójnicy i już wiązali go sznurami, kiedy usłyszeli zbliżających się jeźdźców. Przekonani, że to nadciąga pomoc dla władcy, rzucili się do ucieczki.

Kościół św. Bartłomieja

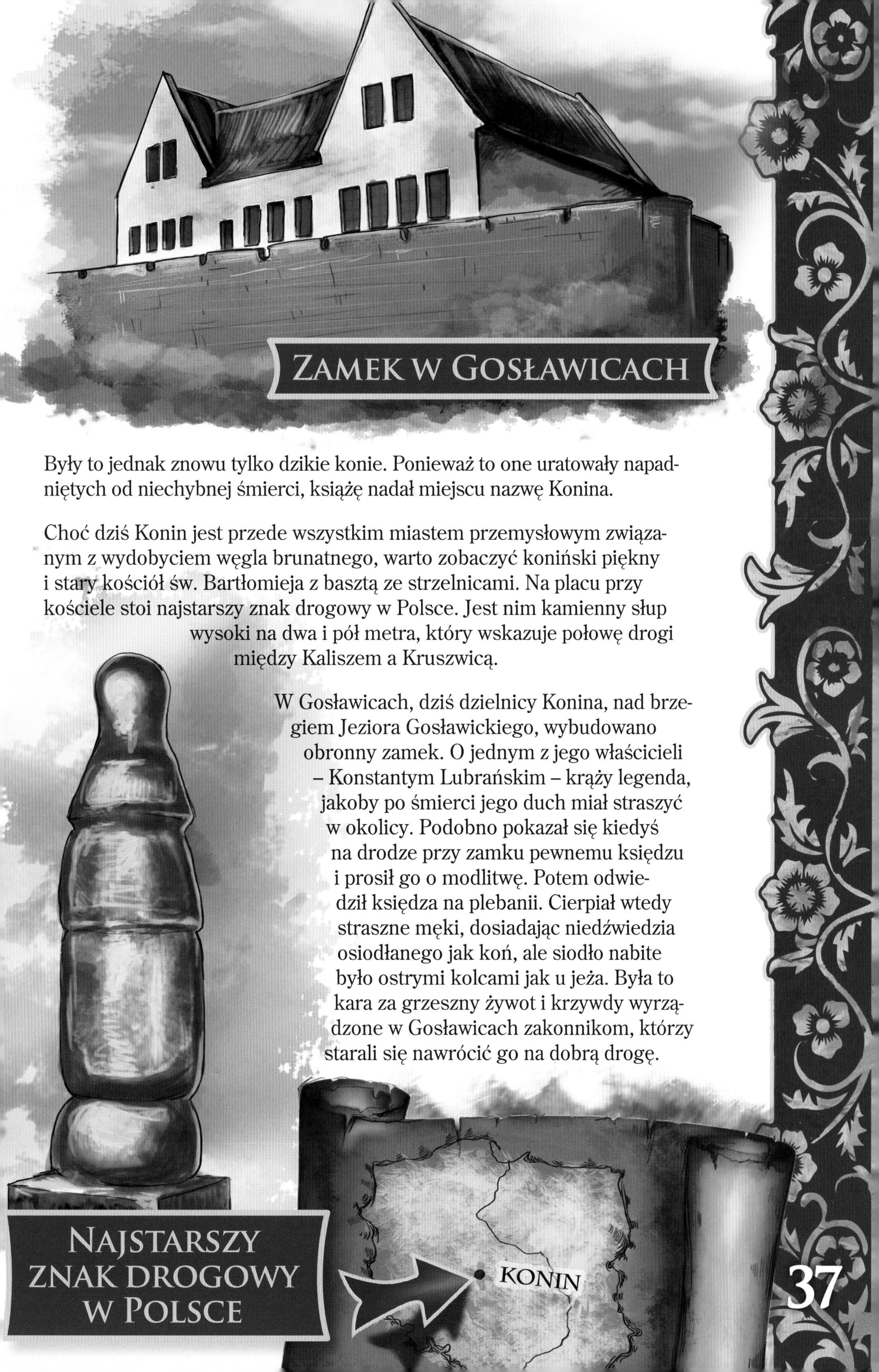

Zamek w Gosławicach

Były to jednak znowu tylko dzikie konie. Ponieważ to one uratowały napadniętych od niechybnej śmierci, książę nadał miejscu nazwę Konina.

Choć dziś Konin jest przede wszystkim miastem przemysłowym związanym z wydobyciem węgla brunatnego, warto zobaczyć koniński piękny i stary kościół św. Bartłomieja z basztą ze strzelnicami. Na placu przy kościele stoi najstarszy znak drogowy w Polsce. Jest nim kamienny słup wysoki na dwa i pół metra, który wskazuje połowę drogi między Kaliszem a Kruszwicą.

W Gosławicach, dziś dzielnicy Konina, nad brzegiem Jeziora Gosławickiego, wybudowano obronny zamek. O jednym z jego właścicieli – Konstantym Lubrańskim – krąży legenda, jakoby po śmierci jego duch miał straszyć w okolicy. Podobno pokazał się kiedyś na drodze przy zamku pewnemu księdzu i prosił go o modlitwę. Potem odwiedził księdza na plebanii. Cierpiał wtedy straszne męki, dosiadając niedźwiedzia osiodłanego jak koń, ale siodło nabite było ostrymi kolcami jak u jeża. Była to kara za grzeszny żywot i krzywdy wyrządzone w Gosławicach zakonnikom, którzy starali się nawrócić go na dobrą drogę.

Najstarszy znak drogowy w Polsce

NAD BOBREM

I WARTĄ

1. Rycerz w płomieniach z Łagowa

W rozległej i gęstej Puszczy Lubuskiej kryją się piękne jeziora. Spośród nich największym jest Jezioro Trześniowskie o głębokości prawie 60 metrów. Tylko wąski przesmyk oddziela je od Jeziora Łagowskiego, ale właśnie na tym przesmyku, w Łagowie, zbudowano zamek z wysoką, kwadratową wieżą, która w górnej części jest okrągła. W całej historii był on tylko raz oblegany przez Brandenburczyków,

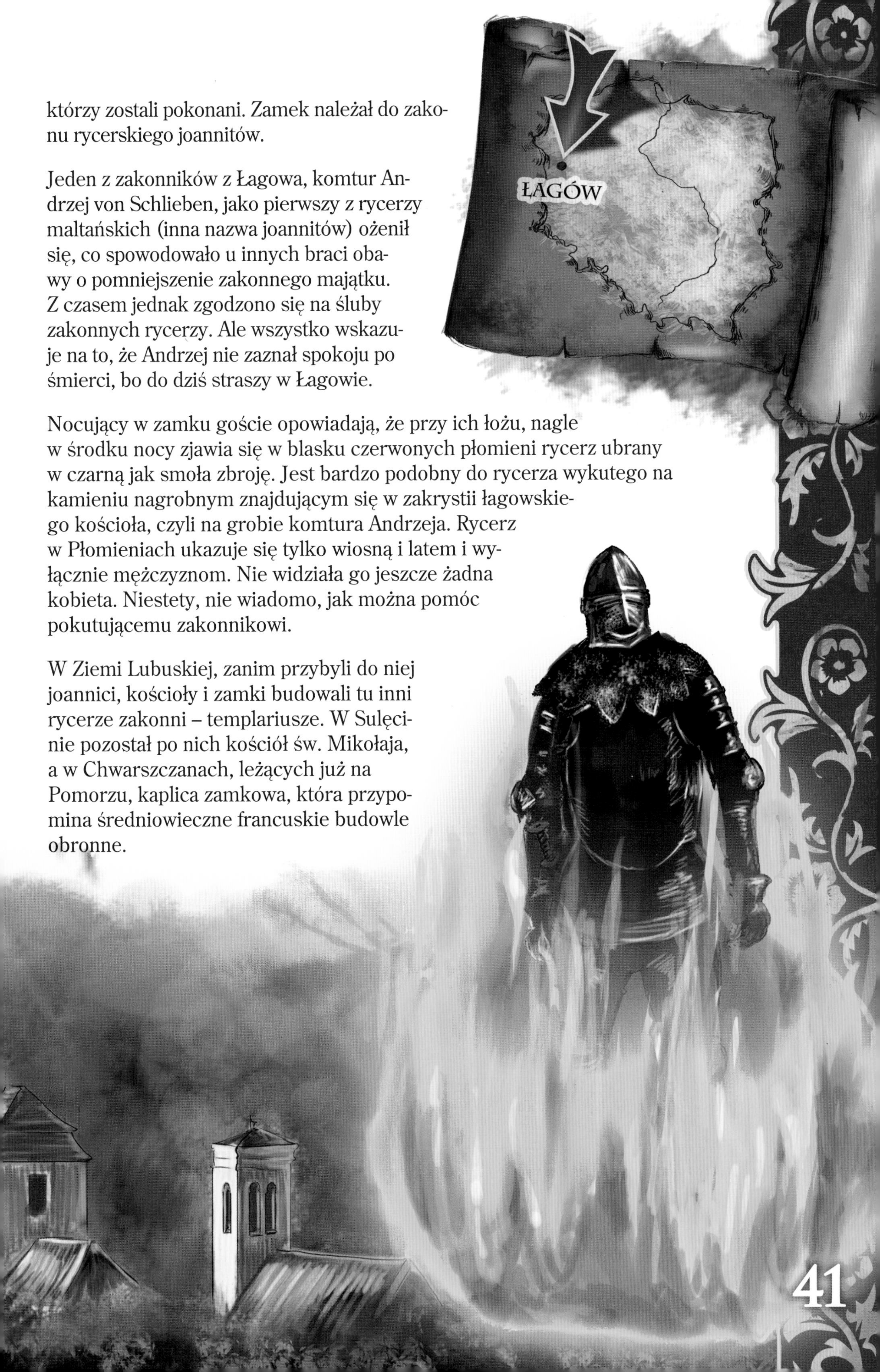

którzy zostali pokonani. Zamek należał do zakonu rycerskiego joannitów.

Jeden z zakonników z Łagowa, komtur Andrzej von Schlieben, jako pierwszy z rycerzy maltańskich (inna nazwa joannitów) ożenił się, co spowodowało u innych braci obawy o pomniejszenie zakonnego majątku. Z czasem jednak zgodzono się na śluby zakonnych rycerzy. Ale wszystko wskazuje na to, że Andrzej nie zaznał spokoju po śmierci, bo do dziś straszy w Łagowie.

Nocujący w zamku goście opowiadają, że przy ich łożu, nagle w środku nocy zjawia się w blasku czerwonych płomieni rycerz ubrany w czarną jak smoła zbroję. Jest bardzo podobny do rycerza wykutego na kamieniu nagrobnym znajdującym się w zakrystii łagowskiego kościoła, czyli na grobie komtura Andrzeja. Rycerz w Płomieniach ukazuje się tylko wiosną i latem i wyłącznie mężczyznom. Nie widziała go jeszcze żadna kobieta. Niestety, nie wiadomo, jak można pomóc pokutującemu zakonnikowi.

W Ziemi Lubuskiej, zanim przybyli do niej joannici, kościoły i zamki budowali tu inni rycerze zakonni – templariusze. W Sulęcinie pozostał po nich kościół św. Mikołaja, a w Chwarszczanach, leżących już na Pomorzu, kaplica zamkowa, która przypomina średniowieczne francuskie budowle obronne.

2. Wielka ucieczka w Żaganiu

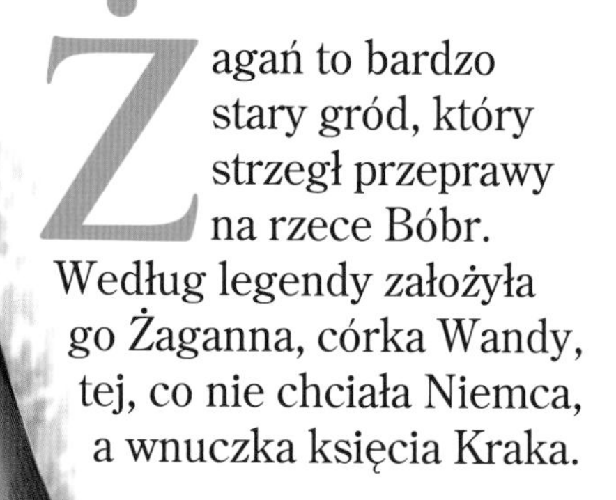

Żagań to bardzo stary gród, który strzegł przeprawy na rzece Bóbr. Według legendy założyła go Żaganna, córka Wandy, tej, co nie chciała Niemca, a wnuczka księcia Kraka.

W Żaganiu stoi pałac, w którym kiedyś księżna Dorota gościła znanych w całej Europie kompozytorów: Franciszka Liszta i Giuseppe Verdiego, oraz wielu innych sławnych artystów. Nad jednym z okien pałacu znajduje się niedokończony maszkaron (głowa z dziwną, czasem straszną twarzą i fantazyjną fryzurą). Rzeźbiarz robiący maszkarony ponoć zawarł pakt z diabłem. Miał oddać czartowi swoją duszę jak wyrzeźbi wszystkie maszkarony, a pozował mu do nich sam diabeł, przybierający za każdym razem inną twarz. Gdy podczas pracy nad ostatnim pokazał swoje prawdziwe oblicze, rzeźbiarz tak się przeraził, że spadł z rusztowania i zginął.

Maszkarony
Pałac w Żaganiu

W czasie drugiej wojny światowej w Żaganiu Niemcy umieścili obozy dla tysięcy jeńców. W jednym przetrzymywano lotników, którzy zorganizowali słynną wielką ucieczkę. Jeńcy wydostali się przez wydrążony pod ziemią tunel. Znajdował się on na głębokości 10 metrów. Miał ponad 110 metrów długości i tylko pół metra wysokości, tak że uciekający musieli się w nim czołgać. Uciekło 80 więźniów, ale tylko trzej z nich nie zostali schwytani

przez Niemców. O tym niezwykłym wydarzeniu opowiadają filmy fabularne i wiele dokumentalnych. Poznamy ją również w Muzeum Obozów Jenieckich w Żaganiu, gdzie zbudowano także makietę fragmentu tunelu.

W kościele Wniebowzięcia Najświętszej Maryi Panny możemy podziwiać gotycki sarkofag księcia głogowsko-żagańskiego Henryka IV, a na wysokiej, prawie sześćdziesięciometrowej wieży świątyni zamontowano jeden z pierwszych w Polsce piorunochronów. W byłym klasztorze Augustianów warto zobaczyć bibliotekę oraz izbę, gdzie pracował słynny astronom Johannes Kepler.

Na lewym brzegu Bobru, obok kościoła Nawiedzenia Najświętszej Maryi Panny, wybudowano kaplicę Grobu Bożego. Jest ona dokładnie taka sama, jak ta z bazyliki Grobu Pańskiego w Jerozolimie i jest jedną z dwóch wiernych jej kopii w Europie.

Niedźwiedź Wojtek

Na placu Słowiańskim w Żaganiu odsłonięto pierwszy w Polsce pomnik niedźwiedzia Wojtka, który walczył z polskimi żołnierzami pod Monte Cassino.

3. Gacki i mopki z Nietoperka

Międzyrzecz istniał już w czasach pierwszego władcy Polski – Mieszka I. Dzisiaj możemy w nim jeszcze zobaczyć ruiny zamku Kazimierza Wielkiego. Przed drugą wojną światową Niemcy zbudowali na tym terenie system ogromnych fortyfikacji, które miały bronić ówczesnej ich granicy. Powstał wtedy Międzyrzecki Rejon Umocnień, składający się z podziemnych dwu- lub trzypiętrowych schronów i wieży pancernych połączonych tunelami, a na powierzchni z bunkrów, rowów, zasieków i pól minowych. Fortyfikacje nie zostały dokończone, ale ich imponujące pozostałości można zwiedzać do dziś.

W podziemnych korytarzach poniemieckich umocnień znalazły swoją sypialnię nietoperze. W pomieszczeniach tych panuje stała temperatura około 9 stopni Celsjusza oraz duża wilgotność powietrza, a takie warunki bardzo odpowiadają gackom i mopkom, czyli nietoperzom. Dla 12 gatunków tych małych ssaków utworzono w podziemiach chroniący je rezerwat przyrody Nietoperek. Co roku zimuje tam 30 tysięcy tych zwierzątek. Są wśród nich gacki szare i brunatne, czyli wielkouche, nocki rude, duże, łydkowłose i wąsatki, a także mopki, mroczki i karliki malutkie.

Często są to gatunki zagrożone wyginięciem. Niektóre przylatują na zimowy nocleg do Międzyrzecza z miejsc odległych o ponad 250 kilometrów.

Niedaleko Międzyrzecza warto zobaczyć starą polską osadę Gościkowo, a w niej klasztor Cystersów. Ufundował go rycerz Mikołaj Bronisz. Klasztor nazywany był Rajem Matki Bożej, a potocznie Paradyżem. Dziś znajduje się w nim seminarium duchowne.

Międzyrzecz leży w połowie drogi między dwoma największymi miastami ziemi lubuskiej: Zieloną Górą, która niegdyś słynęła z uprawy winorośli, oraz Gorzowem Wielkopolskim – kiedyś starym grodem strzegącym przeprawy przez Wartę. Dziś największym zabytkiem miasta jest średniowieczna katedra Wniebowzięcia Najświętszej Maryi Panny. W Zielonej Górze natomiast warto zobaczyć Stary Rynek. Po winnych tradycjach pozostał Domek Winiarza, w którym kiedyś przechowywano narzędzia oraz beczki i butelki z winem. Dawniej podobnych domów było ponad 700.

Kilkadziesiąt kilometrów na zachód od Gorzowa urządzono Park Narodowy „Ujście Warty". Na tamtejszych rozlewiskach i łąkach chroni się wiele rzadkich gatunków ptaków. Wiele z nich zatrzymuje się w tym miejscu podczas swych wędrówek. Są dni, że przebywa ich tam 250 tysięcy.

NAD

BAŁTYKIEM

1. Polskie wyspy na Bałtyku

Wolin to największa polska wyspa. Żyje na niej zagrożony wyginięciem orzeł bielik – ptak z naszego godła. Dawno temu na wyspie mieszkało plemię Wolinian, które zbudowało wielkie i bogate miasto – Winetę – zamykane na dwanaście spiżowych bram. Domy w nim miały marmurowe ściany, kryształowe okna i dachy kryte złotą blachą. Konie chodziły na złotych podkowach, a do portu zawijały setki statków z całego świata. Był tu nawet garniec Wulkana, czyli latarnia morska, nazywana też ogniem greckim. Mieszkańcy jednak stawali się coraz bardziej zarozumiali, pyszni i źli. To sprowadziło na nich karę. Wineta została napadnięta i zburzona przez Duńczyków. Jednak niektórzy opowiadają, że miasto wraz z mieszkańcami zatopiła straszliwa fala morska i jego ruiny do dziś spoczywają na dnie morza. Można je nawet zobaczyć pod wodą w pogodne dni.

Na wyspę przybywali też waleczni wikingowie. Podobno mieli tu swoją twierdzę Jomsborg, znaną jako gniazdo „Śmiałych Żeglarzy" siejących postrach na Bałtyku. Dziś można na Wolinie oglądać walki rycerzy, wyścigi okrętów i huczne biesiady wojów, organizowane co roku na Festiwalu Wikingów.

Na Wolinie leży port morski w Świnoujściu, którego druga część znajduje się na wyspie – Uznam. Miasto przedzielone jest rzeką Świną. Z jednej części do drugiej można się przedostać tylko promem, bo nie zbudowano mostu. W porcie stoi najwyższa

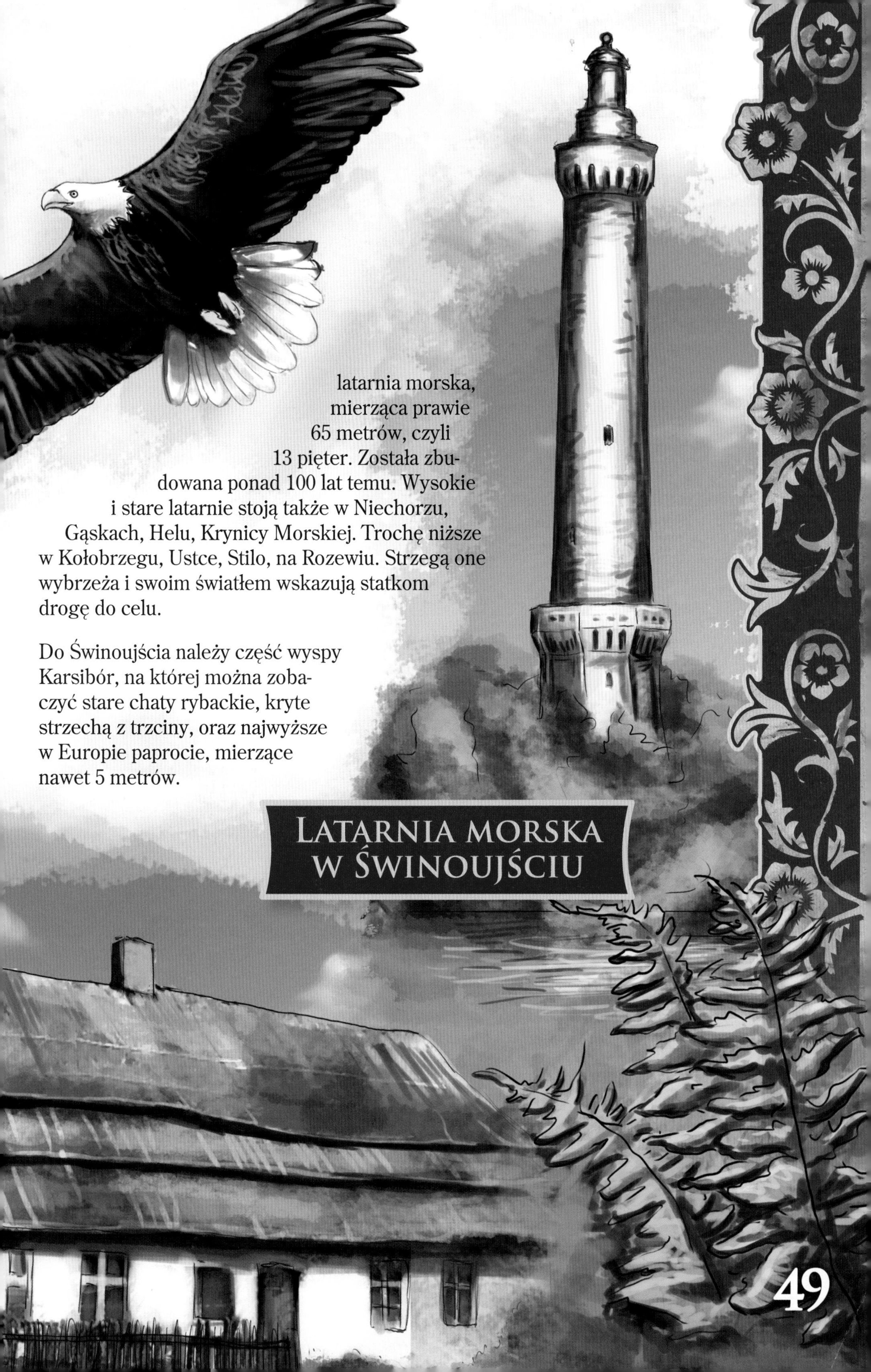

latarnia morska, mierząca prawie 65 metrów, czyli 13 pięter. Została zbudowana ponad 100 lat temu. Wysokie i stare latarnie stoją także w Niechorzu, Gąskach, Helu, Krynicy Morskiej. Trochę niższe w Kołobrzegu, Ustce, Stilo, na Rozewiu. Strzegą one wybrzeża i swoim światłem wskazują statkom drogę do celu.

Do Świnoujścia należy część wyspy Karsibór, na której można zobaczyć stare chaty rybackie, kryte strzechą z trzciny, oraz najwyższe w Europie paprocie, mierzące nawet 5 metrów.

Latarnia morska w Świnoujściu

2. O Baszcie Siedmiu Płaszczy w Szczecinie

Szczecin to stary gród, który tysiąc lat temu strzegł przeprawy przez Odrę i był otoczony wysokim wałem. Potem, gdy należał do Prus, rozwinął się jako port morski. W czasie drugiej wojny światowej miasto prawie zrównano z ziemią w czasie bombardowania. Dlatego wiele kościołów, kamienic, a także ratusz i zamek zostały po wojnie odbudowane.

Kiedyś miasto otaczały wspaniałe grube mury obronne. Miały one 7 bram, 15 czatowni i 22 baszty. Pozostało po nich niewiele, bo tylko dwie bramy: Portowa i Królewska (dziś Hołdu Pruskiego) oraz Baszta Panieńska, nazywana też Basztą Siedmiu Płaszczy. Stoi ona w pobliżu Odry u stóp Zamku Książąt Pomorskich. Najpierw była strażnicą i więzieniem, a potem mieściły się w niej stajnie oraz lodownia, czyli chłodnia, w której przechowywano towary w bryłach lodu.

Z basztą związana jest legenda. Gdy książę Bogusław wyjeżdżał w daleką podróż do Ziemi Świętej, kazał sobie uszyć siedem płaszczy z niezwykle pięknej i drogiej tkaniny.

Baszta Siedmiu Płaszczy

Krawiec wykonał zadanie bardzo dobrze, tak że wszyscy wokół zachwycali się nowymi szatami księcia.
Wyjątkowy materiał spodobał się też żonie krawca, więc uprosiła męża, aby z pozostałych resztek uszył jej suknię. Kiedy Bogusław wrócił z pielgrzymki, wychwalał dalekie krainy i krawca, dzięki któremu prezentował się tak okazale. Ale pewnego dnia ktoś zauważył na dziedzińcu kobietę odzianą w suknię z książęcego materiału. Bogusław bardzo się rozgniewał i wsadził krawca do więzienia w baszcie. Tam biedak musiał szyć ubrania dla całego dworu za darmo, a żywiono go tylko chlebem i wodą.

BRAMA PORTOWA

3. Ruiny kościoła w Trzęsaczu

Nad samym brzegiem morza, w Trzęsaczu, stoją ruiny kościoła św. Mikołaja. Kiedyś istniała tu cała wioska, a kościół zbudowano dwa kilometry od brzegu. Przy świątyni znajdował się wiejski cmentarz. Dzisiaj po wiosce i cmentarzu nie ma już nawet śladu, a z kościółka pozostał tylko kawałek jednej ściany. To morze przez wieki podmywało wysoki brzeg i zabierało po kawałku lądu.

Dawno temu w Trzęsaczu żył młody rybak Kaźko, który bardzo kochał dziewczynę o imieniu Ewka. Narzeczeni spotykali się często pod murem kościoła. Ale Kaźko został powołany do wojska. Poszedł na wojnę, walczył na morzu i tam zginął, zabity przez Brandenburczyków. Kiedy Ewka dowiedziała się o śmierci ukochanego, z żalu pękło jej serce. Pochowano ją na przykościelnym cmentarzu. Od tamtej pory Kaźko w fali morskiej przybywa po Ewkę, aby zabrać ją do siebie.

Inna legenda opowiada o tym, że pewnego dnia rybacy z Trzęsacza złowili w morzu syrenę. Nazywała się Zielenica i była córką Bałtyka. Choć syrena bardzo prosiła rybaków, aby puścili ją wolno, ci zabrali ją do wsi. Tam, zamknięta w chacie, z bólu i tęsknoty za morzem oraz ojcem wkrótce umarła. Ksiądz pochował ją na cmentarzu przy kościele. Bałtyk wpadł w wielki gniew i postanowił zabrać ciało córki oraz zemścić się na rybakach. Dlatego zniszczył wieś, cmentarz oraz kościół.

Do nowego kościoła w Trzęsaczu przeniesiono ze starego dzwon z napisem „Spiesz wszystko do Świętego Domu Bożego, jak tylko usłyszycie mnie z wieży", który w czasie pierwszej wojny światowej został przetopiony na armaty. Do dzisiaj natomiast w odbudowanym kościele Miłosierdzia Bożego w Trzęsaczu można zobaczyć stary ołtarz.

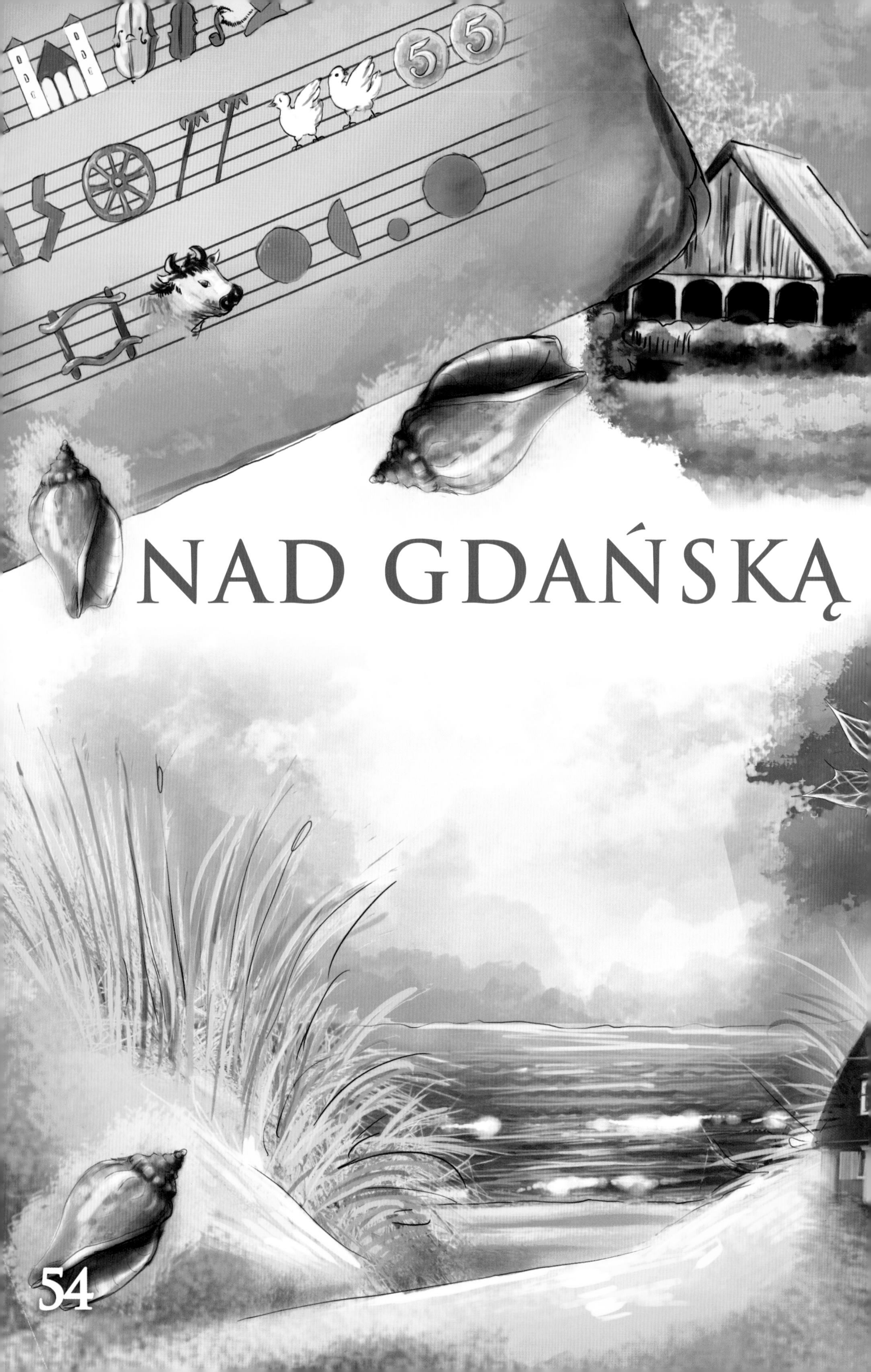

NAD GDAŃSKĄ

ZATOKĄ

1. Port Neptuna – Gdańsk

Do miasta prowadzą okazałe bramy strzegące kiedyś mieszkańców przed nieproszonymi gośćmi i wrogami. Z Bramy Wysokiej spuszczano wtedy trzy zwodzone mosty przerzucone nad szeroką i głęboką fosą. Na bogato ozdobionej Bramie Złotej widnieje napis: „Oby się dobrze wiodło tym, co cię kochają, aby był pokój w tych murach i szczęście w twoich pałacach".

Gdańsk był dawno temu największym portem Rzeczpospolitej nad Bałtykiem. To właśnie tam barkami po Wiśle przywożono polskie zboże i stamtąd wyprawiano je statkami do innych krajów. Dzięki takiemu handlowi Polska należała do najbogatszych państw, a gdańszczanie mogli rozbudowywać swoje miasto. Dlatego dzisiaj możemy podziwiać wspaniałe zabytkowe budowle, które powstały w dawnych czasach.

Żuraw gdański to dawny dźwig portowy wbudowany w dwie potężne średniowieczne baszty. Służył do przeładowywania towarów i stawiania masztów na statkach. Mechanizm dźwigowy obsługiwali ludzie, ciągnąc ręcznie liny, wchodząc po schodach. Na wysokość dziewięciu pięter można było wciągnąć ciężar ważący dwie tony (tyle, co dwa samochody osobowe). Zniszczony w czasie wojny żuraw został odbudowany, dziś mieści się w nim Muzeum Morskie.

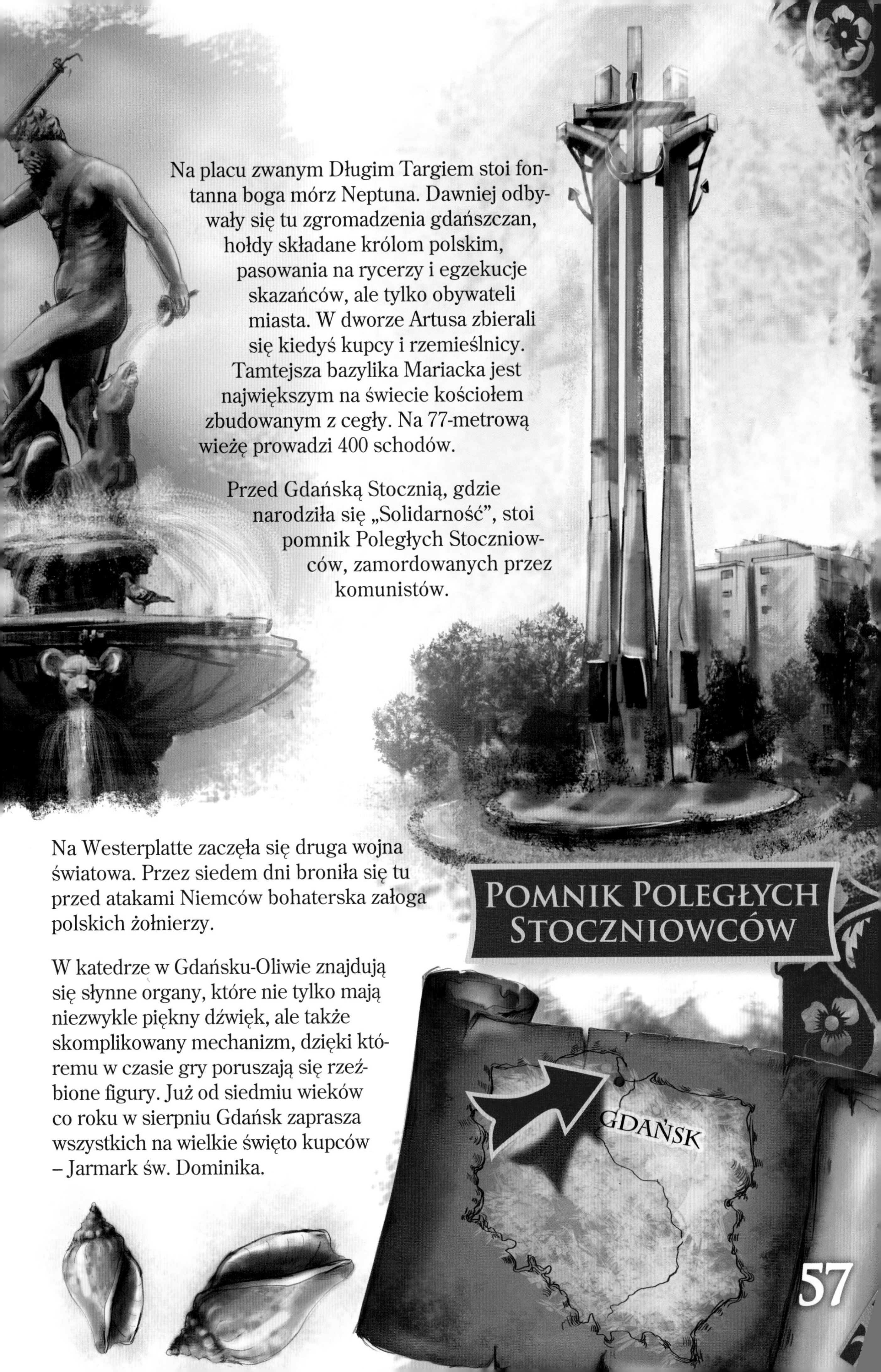

Na placu zwanym Długim Targiem stoi fontanna boga mórz Neptuna. Dawniej odbywały się tu zgromadzenia gdańszczan, hołdy składane królom polskim, pasowania na rycerzy i egzekucje skazańców, ale tylko obywateli miasta. W dworze Artusa zbierali się kiedyś kupcy i rzemieślnicy. Tamtejsza bazylika Mariacka jest największym na świecie kościołem zbudowanym z cegły. Na 77-metrową wieżę prowadzi 400 schodów.

Przed Gdańską Stocznią, gdzie narodziła się „Solidarność", stoi pomnik Poległych Stoczniowców, zamordowanych przez komunistów.

Pomnik Poległych Stoczniowców

Na Westerplatte zaczęła się druga wojna światowa. Przez siedem dni broniła się tu przed atakami Niemców bohaterska załoga polskich żołnierzy.

W katedrze w Gdańsku-Oliwie znajdują się słynne organy, które nie tylko mają niezwykle piękny dźwięk, ale także skomplikowany mechanizm, dzięki któremu w czasie gry poruszają się rzeźbione figury. Już od siedmiu wieków co roku w sierpniu Gdańsk zaprasza wszystkich na wielkie święto kupców – Jarmark św. Dominika.

2. Polski port – Gdynia

Najstarszą częścią Gdyni jest Oksywie. Kiedyś stał tam warowny gród, którym władał Oksym. Razem ze swoją drużyną wyprawiał się on na morze po łupy. Miał też piękną żonę Rozalię, córkę władcy sąsiedniego grodu. Gdy Oksym wyruszał na wojaczkę, zostawiał ukochaną pod opieką oswojonego niedźwiedzia.

Po powrocie z pewnej długiej podróży Rozalia przywitała męża z dzieckiem na ręku. Ale synek nie spodobał się ojcu, bo był duży, kudłaty i bardziej przypominał niedźwiadka niż człowieka. Oksym wpadł w straszny gniew, nad którym nie potrafił zapanować, i zrzucił żonę ze skarpy do morza w miejscu nazywanym dziś Babim Dołem. Zamierzał też pozbawić życia dziecko, ale spojrzawszy na niewinną twarz synka, włożył go do łodzi i wysłał na morze. Nie wiadomo, kto uratował chłopca, ale wyrósł on na dzielnego, dobrego i bardzo silnego rybaka nazywanego Niedźwiedziem. Pewnego razu popłynął on na ratunek tonącym rozbitkom. Jednym z ocalonych przez niego był Oksym, który rozpoznał syna, pożałował swoich czynów i uczynił go swoim spadkobiercą.

Gdy Polska odzyskała niepodległość po pierwszej wojnie światowej, Gdynia z małej rybackiej wioski stała się największym portem na Bałtyku, ale też najnowocześniejszym w Europie. Polacy wybrali Gdynię na miejsce nowego portu, ponieważ nie mogli swobodnie korzystać z Gdańska. Jako Wolne Miasto Gdańsk nie należało ono bowiem do żadnego państwa.

Po drugiej wojnie światowej władze komunistyczne kazały strzelać do strajkujących stoczniowców. Było to w grudniu 1970 roku. Zginął wtedy między innymi młody chłopak Zbyszek Godlewski, którego koledzy nieśli potem ulicami miasta na drzwiach. Śpiewa się o nim piosenkę, w której jednak zmieniono jego imię i nazwisko na Janek Wiśniewski. Jest on symbolem wszystkich zabitych wtedy przez komunistów.

Na Skwerze Kościuszki, przy nabrzeżu cumują dzisiaj zabytkowe okręty i statki, które można zwiedzać. Są to między innymi znany z walk na morzu w czasie wojny niszczyciel ORP „Błyskawica" oraz słynny polski żaglowiec „Dar Pomorza".

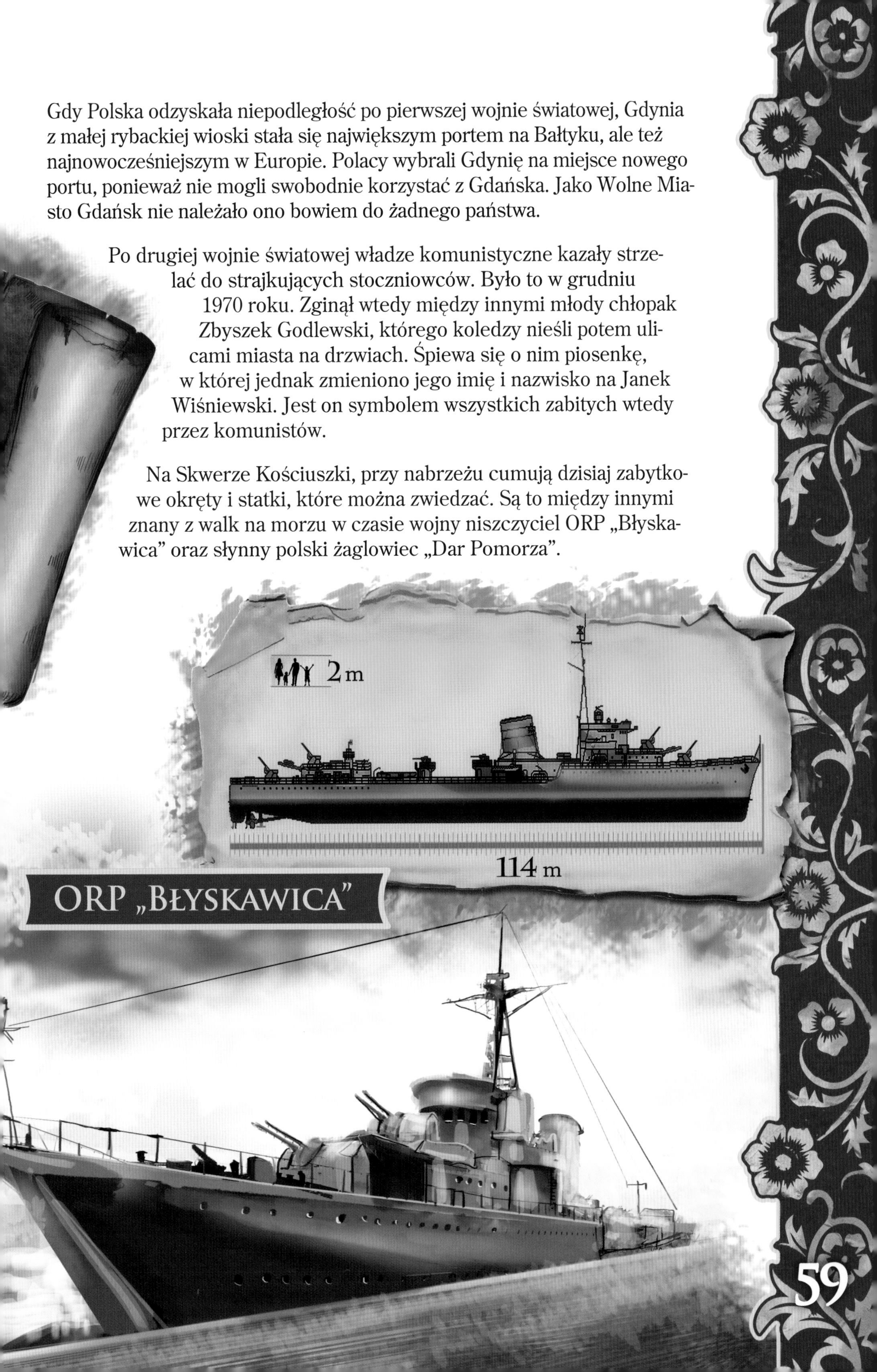

3. Konie w butach i wędrujące wydmy w Słowińskim Parku Narodowym

Podobno królowa Bałtyku, córka Neptuna – boga mórz, Jurata mieszka we wspaniałym pałacu z bursztynu. Miodowy kamień powstały z zastygłej żywicy drzew iglastych, zwany też jantarem jest prawdziwym skarbem Bałtyku. Zawsze był bardzo drogi, a wykonane z niego przedmioty, szczególnie biżuteria, budziły powszechny zachwyt.

Najwięcej jednak nad morzem jest piasku. Na plażach można budować z niego wielkie zamki i fortece, opalać się oraz spacerować. Okazuje się, że sam piasek także może wędrować. Niedaleko Łeby, miasta położonego nad samym morzem, znajdują się ruchome wydmy, czyli właśnie spacerujące, przesuwające się piaski. Olbrzymie góry piaskowe potrafią w czasie roku przebyć nawet 10 metrów. Powstrzymać idącą wydmę mogą tylko specjalne trawy, którym uda się wyrosnąć na piasku. Rośliny te muszą mieć bardzo długie i mocne korzenie. Jedna z takich traw nosi nazwę wydmuchrzyca piaskowa. Piasek potrafi zatrzymać także mikołajek nadmorski znany z legendy.

Mikołajek nadmorski

Mikołajek nadmorski to zamieniony przez władcę Bałtyku niegrzeczny synek rybaka, który niszczył wydmy,

wyrywał trawy, wybierał jaja z mewich gniazd, zrywał sieci i ukradł córce morza bursztynową koronę. Jako ślicznie kwitnący kwiatek naprawia teraz wszystkie szkody, które kiedyś wyrządził.

Najwyższe w Europie ruchome wydmy są chronione w Słowińskim Parku Narodowym. Jego nazwa pochodzi od Słowińców, mieszkańców terenów nad jeziorami Gardno i Łebsko. Oni sami nazywali siebie Kaszubami nadłebskimi. Z ich życiem i zwyczajami można się zapoznać w skansenie we wsi Kluki. Są w nim chałupy, stodoły i inne zabudowania, w których mieszkali Słowińcy. Znani byli między innymi z tego, że swoim koniom ubierali klumpy, czyli drewniane buty-chodaki, aby kopyta nie zapadały się w bagno.

4. U Kaszubów

Kaszubi mówią własną gwarą i mają swoje zwyczaje. Mieszkają w jednym z najpiękniejszych miejsc w Polsce, a jeżeli zdarza im się coś złego, to tylko przez wstrętnego i złośliwego diabła Smętka, o którym opowiadają kaszubskie legendy i podania.

Wejherowo zostało założone przez szlachcica Jana Wejhera, który w podzięce za uratowanie życia wystawił kościół Świętej Trójcy i klasztor Franciszkanów z drogą krzyżową zwaną „Kaszubską Jerozolimą". Jej dróżki prowadzą po okolicznych wzgórzach, na których zbudowano 26 kapliczek. Niedaleko Wejherowa znajduje się Las Śmierci w Piaśnicy. Jest to miejsce, gdzie w czasie drugiej wojny światowej Niemcy zamordowali kilkanaście tysięcy Polaków. Nazywa się go także „małym" lub „drugim" Katyniem, porównując ze zbrodnią dokonaną przez Sowietów na polskich oficerach.

„Kaszubska Jerozolima"

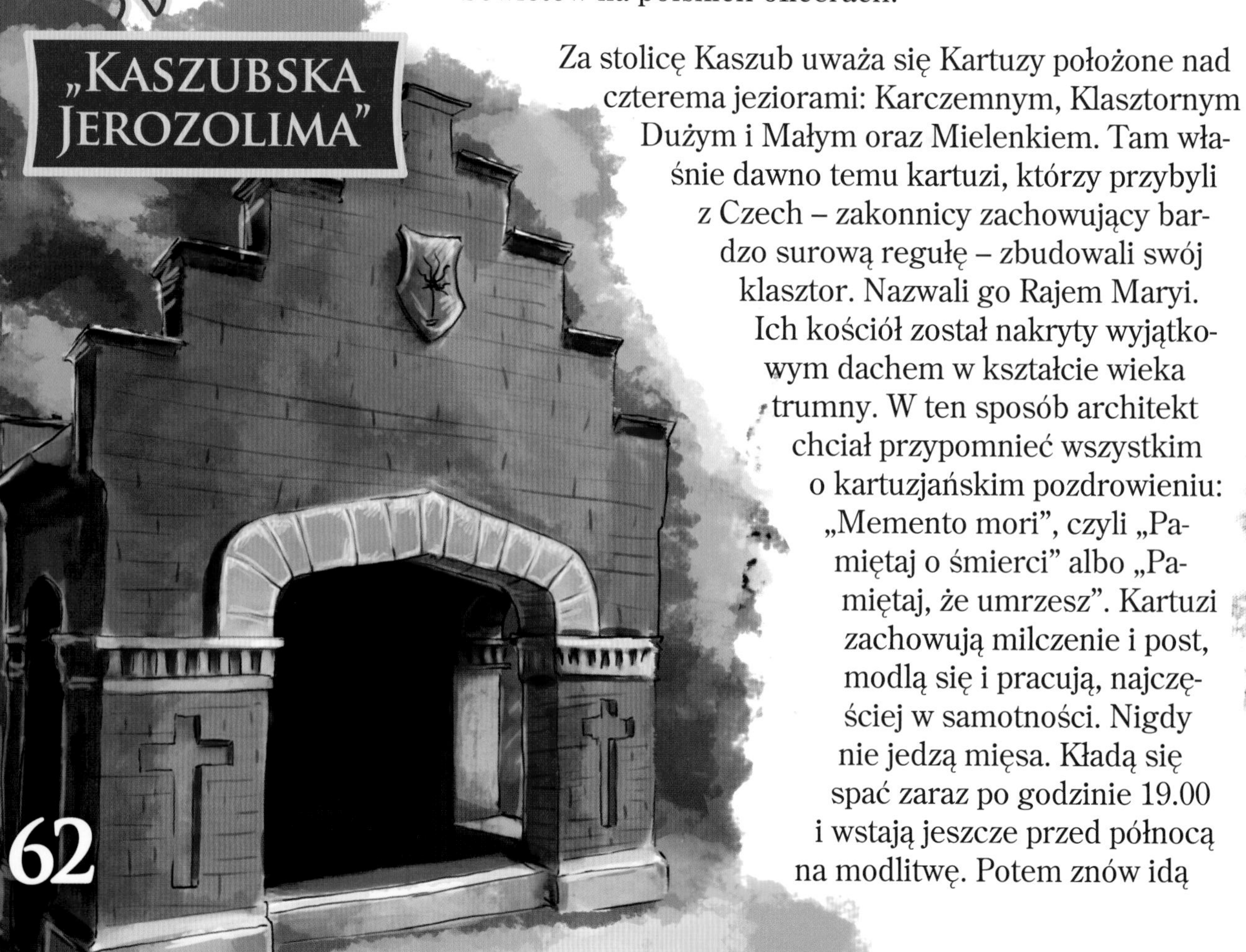

Za stolicę Kaszub uważa się Kartuzy położone nad czterema jeziorami: Karczemnym, Klasztornym Dużym i Małym oraz Mielenkiem. Tam właśnie dawno temu kartuzi, którzy przybyli z Czech – zakonnicy zachowujący bardzo surową regułę – zbudowali swój klasztor. Nazwali go Rajem Maryi. Ich kościół został nakryty wyjątkowym dachem w kształcie wieka trumny. W ten sposób architekt chciał przypomnieć wszystkim o kartuzjańskim pozdrowieniu: „Memento mori", czyli „Pamiętaj o śmierci" albo „Pamiętaj, że umrzesz". Kartuzi zachowują milczenie i post, modlą się i pracują, najczęściej w samotności. Nigdy nie jedzą mięsa. Kładą się spać zaraz po godzinie 19.00 i wstają jeszcze przed północą na modlitwę. Potem znów idą

Kaszubskie abecadło

A oto Kaszubskie Abecadło, piosenka-wyliczanka, do zaśpiewania której potrzebna jest koniecznie plansza z rysunkami:

To je krótci. To je dłudzi. To kaszebsko stolëca.
To są basë, to są skrzëpci. To oznôczô Kaszeba.

To je rydel, to je tycz. To są chojnë, widłë gnojne.
To je prosté, to je krzëwé. To je tylni koło wozné.To są hôci, to są ptôci.

To są prusci półtrojôci.

To je kleka, to je wół. To je całe, a to pół.

To je małi, to je wiöldzi. To są instrumenta wszölci.

za: http://www.muzeum-kaszubskie.gda.pl/nuty

spać o godzinie 3.30, ale już przed 7.00 mają pobudkę. Powtarzają też, że „Krzyż trwa, podczas gdy świat się zmienia".

Dawną kaszubską wieś ze starymi zagrodami, kościołem i wiatrakami można zwiedzić w skansenie we Wdzydzach Kiszewskich.

W pięknym dworku w Będominie urodził się Józef Wybicki, autor słów naszego hymnu narodowego – Mazurka Dąbrowskiego.

Józef Wybicki

5. Cystersi z Pelplina na Kociewiu

Nad rzekami Wierzycą i Wdą, na skraju Borów Tucholskich, żyją Kociewiacy, którzy podobnie jak Kaszubi mówią własną gwarą i pielęgnują swoje zwyczaje. W krainie kociewskiej najwspanialszym zabytkiem jest opactwo cystersów w Pelplinie. Legenda głosi, że miejsce pod budowę klasztoru wskazał osioł, który szedł z mnichami. Kiedy dotarł do Pelplina, stanął, zaryczał i nie ruszył się ani na krok dalej. Zakonnicy uznali, że powinni tu pozostać. Zresztą dolina Wierzycy zrobiła na nich wielkie wrażenie i bardzo im się spodobała. Ale z budowy cysterskiego klasztoru nie był zadowolony diabeł, który czyhał tu na grzeszne dusze. Kiedy kościół stawał się coraz bardziej okazały, czart tak się wściekł, że postanowił zniszczyć budowlę. W nocy rozszalały krążył po całym Kociewiu i szukał odpowiednio wielkiego kamienia, którym mógłby zburzyć kościół. W końcu porwał olbrzymi głaz, ale gdy zbliżał się do celu, nagle wzeszło słońce, zapiał kogut, a diabeł stracił swą moc. Kamień spadł do Wierzycy i na jej dnie leży do dzisiaj. Cystersi spokojnie dokończyli budowę, a kronikarz Jan Długosz zapisał, że klasztor był tak wspaniały, iż budził podziw wszystkich ludzi.

Muzeum Diecezjalne w Pelplinie

W Muzeum Diecezjalnym w Pelplinie można podziwiać prawdziwe skarby: wiele średniowiecznych rzeźb, stare ornaty, a także mającą przeszło 500 lat Biblię wydaną przez Jana Gutenberga – wynalazcę druku.

Dawny zakonny kościół jest dziś katedrą Wniebowzięcia Najświętszej Maryi Panny. Świątynia ma przepiękny wystrój. W jej wnętrzu znajduje się wiele ołtarzy, złoceń, rzeźb i obrazów. Ołtarz główny złożony z sześciu pięter wznosi się na wysokość 25 metrów. Zdobiący go obraz, przedstawiający koronację Maryi, namalował bardzo znany artysta Herman Han. Inne jego dzieło znajduje się w ołtarzu bocznym i jest nim sławny *Pokłon pasterzy*. W katedrze przy ołtarzu ustawiono niezwykle misternie i ozdobnie rzeźbione stalle, czyli ławki z wysokimi oparciami dla kapłanów i ministrantów.

Katedra Wniebowzięcia Najświętszej Maryi Panny

6. W Świętym Gaju na Żuławach Wiślanych

Tam, gdzie Wisła wpada do Bałtyku, leży kraina nazywana Żuławami Wiślanymi. Jest to równina, której część znajduje się poniżej poziomu morza. Najniższy punkt wyznaczono w pobliżu Raczków Elbląskich między Malborkiem a Elblągiem i znajduje się on dwa metry poniżej poziomu morza. Żuławy to bardzo urodzajne ziemie, rozległe pola porośnięte rzędami wierzb, z nielicznymi małymi wzniesieniami, poprzecinane rowami i kanałami. Stoją tam pełne uroku wiatraki, stare kościoły oraz drewniane domy z podcieniami. Znajdują się one między innymi w Bystrzu, Stogach i Rakoniewicach. Są to duże budynki mieszkalne z wysuniętymi, wspartymi na wielu słupach podcieniami. Budowali je kiedyś przybywający na Żuławy osadnicy z Niderlandów (Holandii). To oni kopali tysiące kilometrów rowów i kanałów.

Przeszło 1000 lat temu żyli tu pogańscy Prusowie, do których z misją głoszenia Ewangelii wybrał się Wojciech, biskup z Pragi, wysłany przez polskiego księcia Bolesława Chrobrego. Niedaleko ówczesnego grodu Cholin bp Wojciech został zabity przez pogan, kiedy chciał odprawić Mszę Świętą. Książę wykupił ciało męczennika na wagę złota. Wkrótce papież ogłosił bp. Wojciecha świętym i patronem Polski. Dziś miejsce męczeńskiej śmierci biskupa znajduje się we wsi Święty Gaj, kiedyś nazywanej Świętolasem. Wieś ta leży na wysokim brzegu rzeki Dzierzgoń. Wybudowano w niej kościółek, do którego z Gniezna sprowadzono relikwie św. Wojciecha. Na skraju wsi w miejscu, gdzie – jak głosi tradycja – zginął święty, postawiono polowy ołtarz i drogę krzyżową.

Po Żuławach można podróżować wąskotorową kolejką z Nowego Dworu Gdańskiego do Stegny Gdańskiej i ze stacji Prawy Brzeg Wisły do Sztutowa. Po drodze specjalną atrakcję stanowi kolejowy most obrotowy w Rybinie na Szkarpawie. Jest on otwierany dla przepływających po rzecze statków, a zamykany, gdy przejeżdża pociąg. Mechanizm, tak jak za dawnych czasów, obsługuje się ręcznie.

Kościół św. Antoniego w Świętym Gaju

7. Siedziba wielkich mistrzów krzyżackich – Malbork

Najpotężniejszy zamek krzyżacki i zarazem jeden z największych zamków w Europie znajduje się w Malborku. Aby się dostać na jego główny dziedziniec, trzeba było przejść przez cztery zwodzone mosty i kilkanaście bram. Tu mieściła się siedziba Wielkiego Mistrza Zakonu Szpitala Najświętszej Maryi Panny, bo tak nazywał się rycerski zakon założony w Jerozolimie, gdzie opiekował się przybywającymi do grobu Chrystusa pielgrzymami oraz walczył z niewiernymi. Krzyżacy, nazywani tak w Polsce od czarnych krzyży noszonych na białych płaszczach, przenieśli swoją stolicę do grodu Maryi, czyli Malborka. Na ziemiach polskich krzyżacy stworzyli silne państwo i zbudowali wiele warownych zamków, między innymi w Tczewie, Kwidzynie, Gniewie, Bytowie, Golubiu, Reszlu, Kętrzynie. Mieli pomagać Polakom nawracać pogańskie ludy, z czasem jednak zaczęli walczyć z Polską o nowe ziemie. Zakon krzyżacki istnieje do dziś, jego członkowie, już bez mieczy, opiekują się biednymi i chorymi.

Zamek w Malborku składa się z Zamku Wysokiego, Średniego i Niskiego. W Zamku Wysokim znajduje się kościół zamkowy pod wezwaniem Najświętszej Maryi Panny – pod nim w kaplicy św. Anny spoczywają wielcy mistrzowie zakonu – oraz Kapitularz, czyli sala obrad, gdzie wybierano wielkiego mistrza.

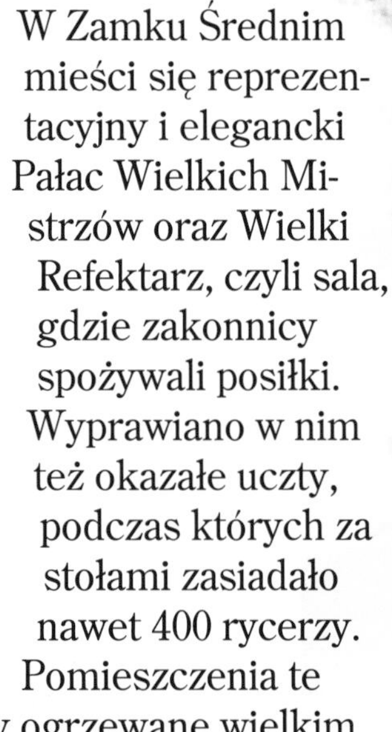

W Zamku Średnim mieści się reprezentacyjny i elegancki Pałac Wielkich Mistrzów oraz Wielki Refektarz, czyli sala, gdzie zakonnicy spożywali posiłki. Wyprawiano w nim też okazałe uczty, podczas których za stołami zasiadało nawet 400 rycerzy. Pomieszczenia te były ogrzewane wielkim piecem umieszczonym pod nimi. Ciepłe powietrze przechodziło do sal przez otwory w podłodze.

Mistrz krzyżacki Winrich von Kniprode

Obok Malborka jednym z najbardziej znanych krzyżackich zamków jest warownia w Golubiu. Krzyżacki zamek został przebudowany przez Annę Wazównę, siostrę króla Polski Zygmunta III Wazy. Legenda głosi, że duch Anny do dzisiaj chodzi po komnatach zamku i sprawdza, czy dobrze się w nim dzieje. Z dziedzińca do pomieszczeń zamkowych wchodzi się szerokimi Końskimi Schodami. Nazwa ta przypomina o tym, że kiedyś rycerze wjeżdżali nimi na koniach w pełnej zbroi. Dlatego były bardzo solidne. Przed zamkiem odbywają się turnieje rycerskie.

Zamek krzyżacki w Malborku

8. Piernikowe miasto – Toruń

Kiedyś jedna z wież murów obronnych miasta prosiła Wisłę, by przestała podmywać jej fundamenty, bo może runąć. „To ruń" – odpowiedziała zniecierpliwiona rzeka. Tak miała powstać nazwa tego starego i pełnego uroku miasta nad Wisłą. Podmywana wieża stoi zresztą do dzisiaj i rzeczywiście jest krzywa. Odchyliła się od pionu o prawie półtora metra. Na Bramie Mostowej prowadzącej do grodu umieszczono tabliczki, którymi oznaczano poziom Wisły zalewającej Stare Miasto w czasie powodzi.

Toruńskie Stare Miasto należy do najpiękniejszych w Polsce. Oczywiście miasto słynie przede wszystkim z pierników, które właśnie tu smakują najlepiej. Tymi ciastkami zachwycali się już królowie, dzisiaj mają one bardzo różne kształty, są oblewane czekoladą lub lukrem i nadziewane marmoladą.

W Toruniu urodził się największy polski uczony, astronom Mikołaj Kopernik. To on odkrył, że to Ziemia krąży wokół Słońca, a nie odwrotnie. Studiował w Krakowie i we Włoszech, a zmarł we Fromborku. W Toruniu na Starym Rynku można zwiedzić dom astronoma umeblowany sprzętami z jego czasów.

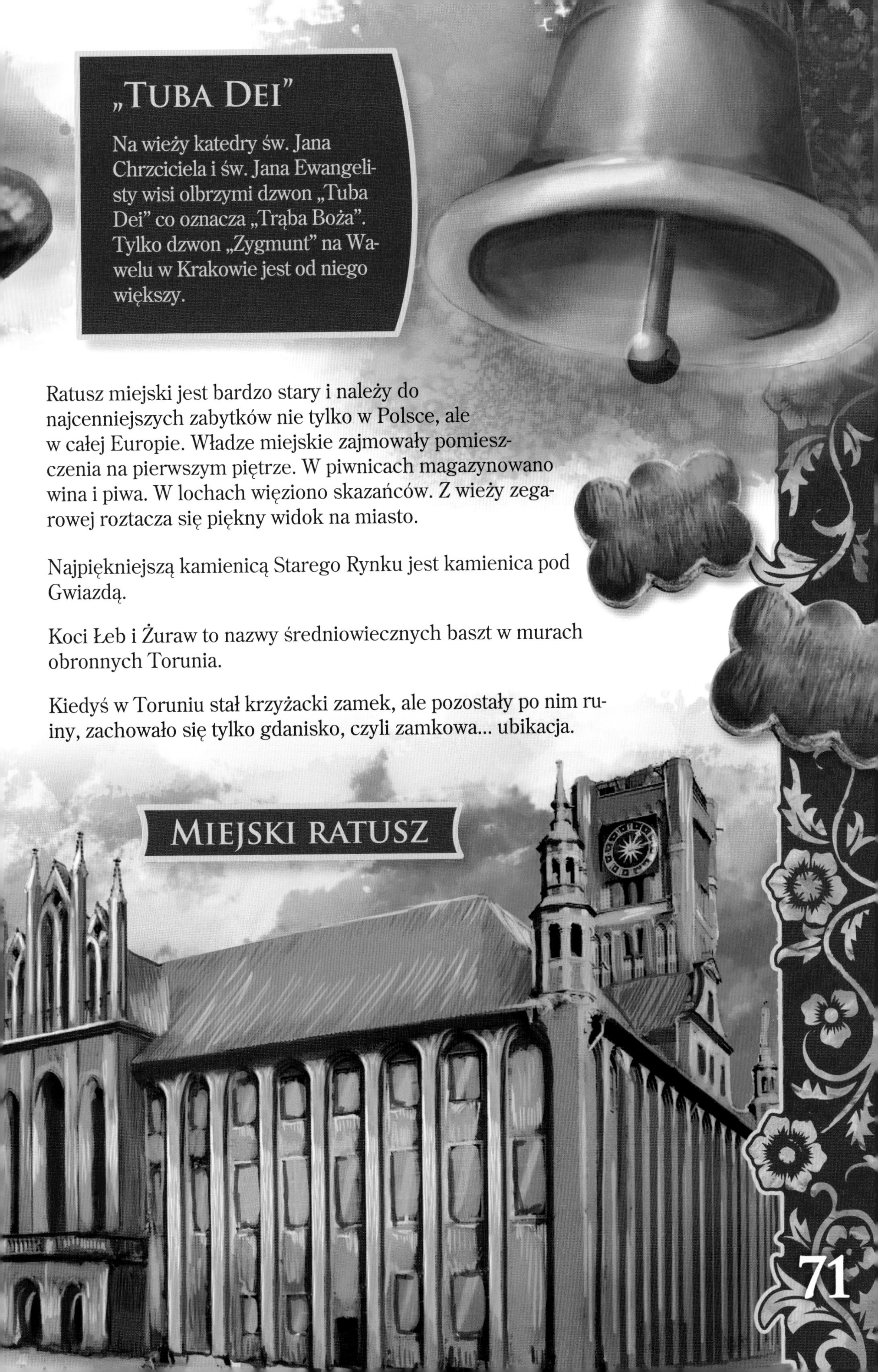

„Tuba Dei"

Na wieży katedry św. Jana Chrzciciela i św. Jana Ewangelisty wisi olbrzymi dzwon „Tuba Dei" co oznacza „Trąba Boża". Tylko dzwon „Zygmunt" na Wawelu w Krakowie jest od niego większy.

Ratusz miejski jest bardzo stary i należy do najcenniejszych zabytków nie tylko w Polsce, ale w całej Europie. Władze miejskie zajmowały pomieszczenia na pierwszym piętrze. W piwnicach magazynowano wina i piwa. W lochach więziono skazańców. Z wieży zegarowej roztacza się piękny widok na miasto.

Najpiękniejszą kamienicą Starego Rynku jest kamienica pod Gwiazdą.

Koci Łeb i Żuraw to nazwy średniowiecznych baszt w murach obronnych Torunia.

Kiedyś w Toruniu stał krzyżacki zamek, ale pozostały po nim ruiny, zachowało się tylko gdanisko, czyli zamkowa... ubikacja.

Miejski ratusz

W KRAINIE BAGIEN

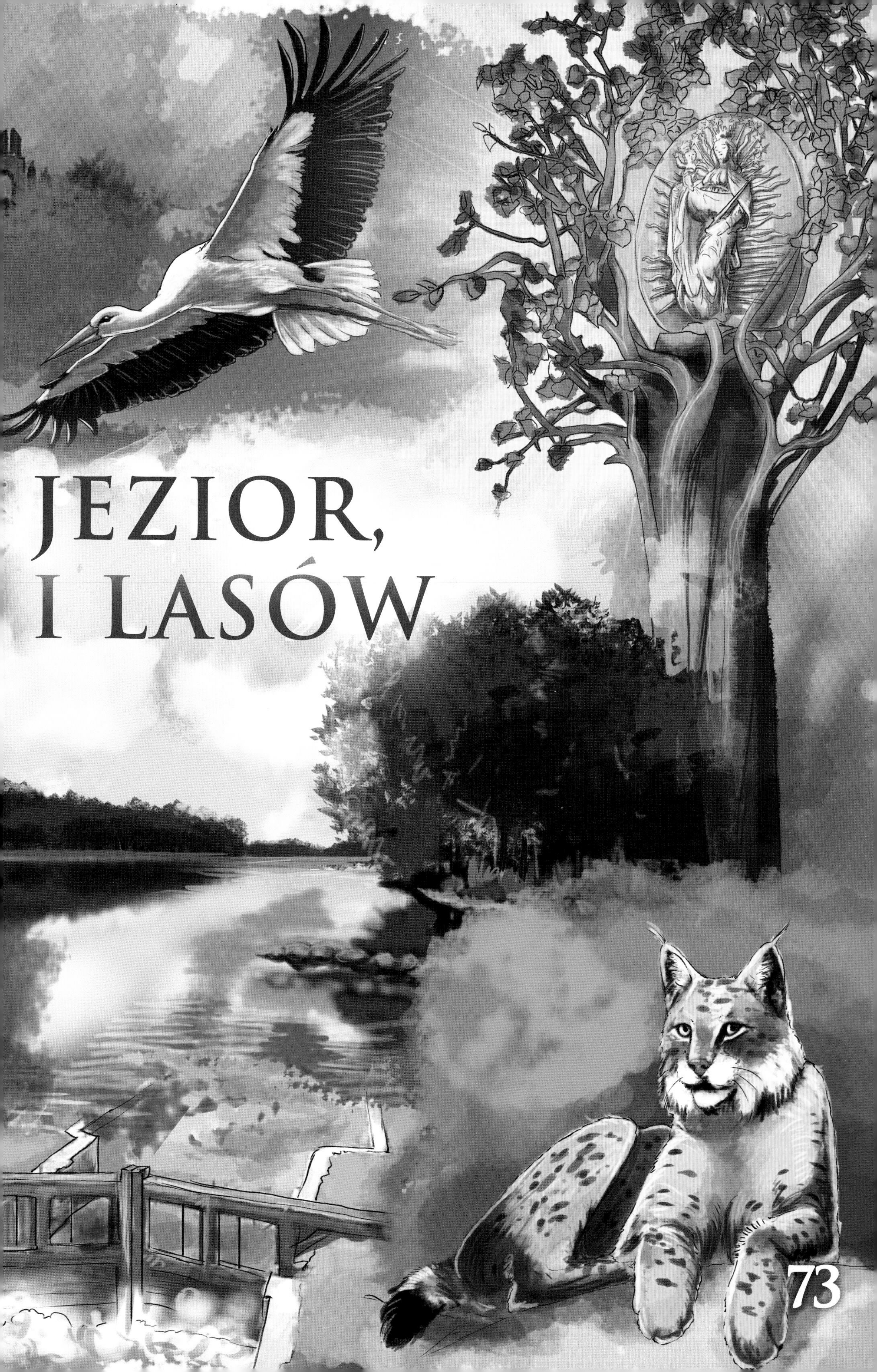
JEZIOR,
I LASÓW

1. W Krainie Tysiąca Jezior

Tak naprawdę Mazury i Warmia nie są krainą tysiąca, ale aż czterech tysięcy jezior. Wszystkie one łączą się ze sobą rzekami, rzeczkami, przesmykami i kanałami. Największe polskie jezioro to Śniardwy, które jest za to bardzo płytkie – średnia głębokość wynosi sześć metrów. Najgłębszym jeziorem jest Hańcza – ma aż 108 metrów głębokości. Natomiast najdłuższy jest Jeziorak, bo rozciąga się na 27 kilometrów.

Polacy, i nie tylko, bardzo lubią wypoczywać na Mazurach. Można tam pływać żaglówkami, łódkami, kajakami czy pontonami, łowić ryby, obserwować ptaki, zwierzęta. Znajduje się tam wiele rezerwatów przyrody, w których swoje siedliska mają na przykład bobry, kormorany czy żółwie błotne.

Kiedyś kraina Warmii i Mazur należała do Krzyżaków, a potem do Prus, dlatego do dzisiaj pozostały po nich warowne zamki i kościoły w Kętrzynie, Rynie, Olsztynie, Barcianach czy Jegławkach. Są tu także wspaniałe pałace i dwory z pięknymi parkami-ogrodami, na przykład w Drogoszach, Sztynorcie czy Sorkwitach.

Jezioro Hańcza

W Giżycku znajduje się Twierdza Boyen, zbudowana w kształcie sześcioramiennej gwiazdy, wzniesiona na wąskim przesmyku między jeziorami Kisajno i Niegocin. Otacza ją mur kamienno-ceglany o długości ponad dwóch kilometrów. Do twierdzy prowadzą dwie drogi od strony Giżycka i Kętrzyna oraz cztery bramy. Wewnątrz można zobaczyć amfiteatr miejski i zwiedzić różne muzea. Postawiono tam również krzyż na pamiątkę męczeńskiej śmierci św. Brunona z Kwerfurtu, biskupa i misjonarza, zabitego 1000 lat temu przez Prusów. Na wprost Bramy Kętrzyńskiej znajduje się budynek stacji gołębi pocztowych, które kiedyś przenosiły wiadomości z twierdzy.

Nazwa Mazury pochodzi od słowa „mazać", „brudzić",
a Warmia to „czerwona ziemia".

Mikołajki są stolicą polskiego żeglarstwa. Prowadzi stamtąd wiele szlaków wodnych po Krainie Wielkich Jezior. Niedaleko leży „mazurskie morze", czyli jezioro Śniardwy.

2. w Kętrzynie i Wilczym Szańcu

Kętrzyn został założony przez Krzyżaków, którzy zbudowali tam swój zamek otoczony murem obronnym z trzema basztami i bramą wjazdową. W zabudowaniach zamkowych mieściła się kaplica, kuchnia, spichlerz, młyn, piekarnia, browar, zbrojownia i prochownia, a także więzienie. Zamek spłonął w wielkim pożarze przed 200 laty. Po drugiej wojnie światowej został częściowo odbudowany.

W Kętrzynie warto również zobaczyć kościół św. Jerzego, który liczy już 500 lat. Jest zbudowany z cegieł i ma wewnątrz kryształowe sklepienia.

Niedaleko Kętrzyna, w Gierłoży znajduje się Wilczy Szaniec, czyli kwatera główna Adolfa Hitlera, wodza Trzeciej Rzeszy (Niemiec), który wywołał drugą wojnę światową. Stamtąd kierował działaniami wojennymi. Tam też dokonano na niego nieudanego zamachu.

W czasie wojny Wilczy Szaniec był zamaskowany, otoczony zasiekami i polami minowymi. Kwatera miała własny dworzec kolejowy, lotnisko, elektrownię i kotłownię. W betonowych schronach oraz drewnianych barakach urządzono biura, hotele, kino, stołówki, herbaciarnie i garaże.

Ciężkie betonowe schrony, które zbudowano na wypadek ataku i bombardowania, miały ściany o grubości od czterech do pięciu metrów oraz stropy grube na osiem metrów. Pod koniec wojny, gdy Niemcy opuszczali Wilczy Szaniec, wysadzili bunkry w powietrze. Ruiny kwatery można dzisiaj zwiedzać.

WILCZY SZANIEC W GIERŁOŻY

W pobliżu Gierłoży, w lesie otaczającym Mamerki, znajdowała się inna kwatera niemieckiego dowództwa. W czasie wojny przebywało w niej ponad tysiąc żołnierzy. W przeciwieństwie do Wilczego Szańca, schrony w Mamerkach nie zostały wysadzone w powietrze i zachowały się w dobrym stanie.

SCHRONY W MAMERKACH

3. W stolicy Warmii i Mazur

Zamek w Olsztynie

W Olsztynie można zwiedzać zamek, którym zarządzał kiedyś Mikołaj Kopernik. Jest w nim jego komnata i wykonany przez niego zegar słoneczny. Na zamkowym dziedzińcu stoją prastare kamienne baby wyrzeźbione przez Prusów.

Podobno w podziemiach zamku ukryty jest skarb, ale nie można się do niego dostać, ponieważ na jego straży stoi czarny pies. Skarbu pilnuje też duch Mamona. Dzieci, aby wejść do lochów, często wrzucały tam niby przypadkiem swoje zabawki. Jednak Mamona zamieniała ciekawskich poszukiwaczy skarbów w skrzaty, które musiały potem służyć w komnatach podziemnego zamku.

Olsztyn ma także bardzo piękną, starą katedrę. W jej wejściu głównym wisi poroże jelenia, z którego zrobiono świecznik. Jak głosi legenda, kiedyś na polowaniu myśliwi wytropili dorodnego rogacza. Zwierzę uciekało przez lasy, łąki i przez całe miasto, aż wbiegło do katedry i w niej padło na środku nawy głównej.

Patronem katedry, jak i całego Olsztyna jest św. Jakub. Widnieje on w herbie miasta. Tradycja mówi, że kiedyś zaszedł on w okolice, gdzie spotkały go nadzwyczajne zdarzenia. Został nakarmiony przez niedźwiedzia i wiewiórki, wodę do picia podała mu dziewczyna, która wyszła z rzeki, ognisko rozpalił

dla niego jeleń. Jakub spotkał potem mieszkańców pobliskiej osady. Zaprzyjaźnił się z nimi i nawet wymyślił im nazwę wioski – Olszyn, od rosnących tam drzew. Oni zaś, chcąc go zatrzymać na stałe, wybudowali dla niego piękny kościół. Jakub obiecał więc, że zostanie ich patronem, i tak się stało.

Niedaleko Olsztyna, w Gietrzwałdzie objawiła się Matka Boża. Do dwóch dziewczynek Maryja przemówiła po polsku. Sanktuarium z cudownym obrazem Matki Bożej Gietrzwałdzkiej nazywane jest polskim Lourdes (Lourdes jest najsłynniejszym maryjnym miejscem we Francji, znanym z objawień Najświętszej Panny Bernadecie Soubirou).

POMNIK
ŚW. JAKUBA

BAZYLIKA
ŚW. JAKUBA
W OLSZTYNIE

4. Święta Lipka

Kiedyś pewnego skazańca, oczekującego na wykonanie kary śmierci w więzieniu w Kętrzynie, odwiedziła Matka Boża. Podała mu kawałek drewna i poleciła wyrzeźbić Jej figurkę z Dzieciątkiem. Więzień, choć nigdy w życiu nic nie wystrugał, zabrał się do pracy. Rano, prowadzony na śmierć, pokazał wyrzeźbioną przez noc Najświętszą Pannę. Była ona tak niezwykłej urody, że sędziowie uznali ją za dowód łaski Bożej i darowali skazańcowi życie. W drodze z Kętrzyna do Reszla, tak jak prosiła Maryja, ocalony więzień umieścił figurkę na pierwszej rosnącej przy trakcie lipie. Wkrótce miejsce to zasłynęło cudami. Chorzy odzyskiwali zdrowie, grzesznicy nawracali się i nawet przechodzące zwierzęta klękały przy drzewie. Mieszkańcy Kętrzyna przenieśli więc figurkę w uroczystej procesji do swojego kościoła, ale rano, ku zdumieniu wszystkich, rzeźba wróciła na lipę. Przeniesiono ją po raz drugi i znowu znalazła się na drzewie. Uznano to za znak woli Bożej i wybudowano przy lipie kaplicę. Potem została ona zniszczona, a cudowną figurkę wrogowie Maryi zatopili w Jeziorze Wirowym.

Sanktuarium w Świętej Lipce

Kiedy wybudowano na tym miejscu piękny kościół, pień starej lipy z kopią figurki umieszczono w jego wnętrzu. W sanktuarium znajduje się cudowny obraz Matki Bożej Świętolipskiej, do którego przybywają rzesze pielgrzymów. Święta Lipka słynie także z przepięknych organów z ruchomą sceną Zwiastowania Najświętszej Maryi Panny. Można ich posłuchać kilka razy dziennie.

Sanktuarium w Świętej Lipce jest nazywane Częstochową Północy. W ostatnią niedzielę maja przychodzi do niego piesza pielgrzymka „Gwiaździsta", prowadzona przez trzech biskupów. Wyruszają oni równocześnie z trzech miast: Reszla, Kętrzyna i Mrągowa.

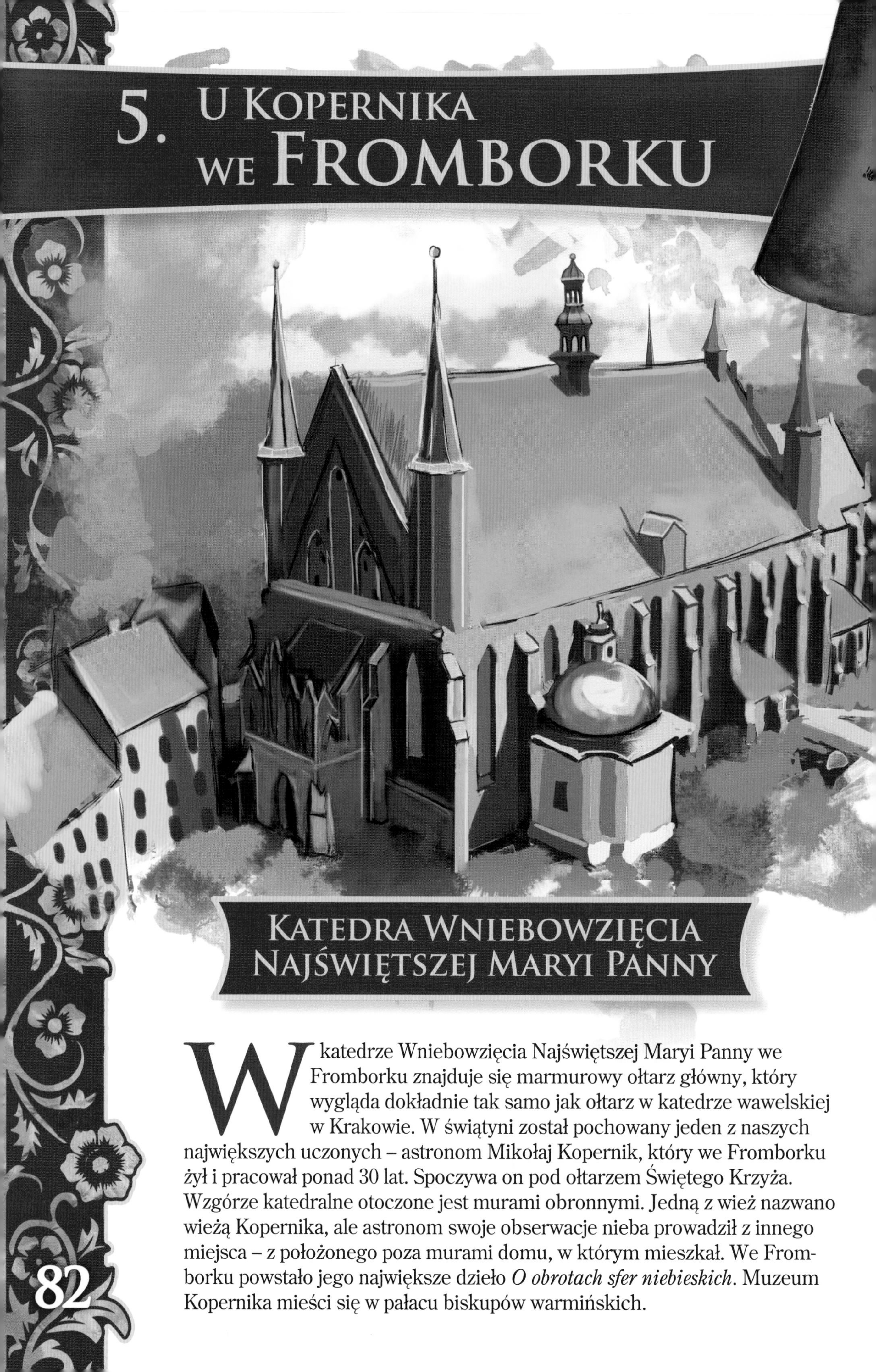

5. U Kopernika we Fromborku

Katedra Wniebowzięcia Najświętszej Maryi Panny

W katedrze Wniebowzięcia Najświętszej Maryi Panny we Fromborku znajduje się marmurowy ołtarz główny, który wygląda dokładnie tak samo jak ołtarz w katedrze wawelskiej w Krakowie. W świątyni został pochowany jeden z naszych największych uczonych – astronom Mikołaj Kopernik, który we Fromborku żył i pracował ponad 30 lat. Spoczywa on pod ołtarzem Świętego Krzyża. Wzgórze katedralne otoczone jest murami obronnymi. Jedną z wież nazwano wieżą Kopernika, ale astronom swoje obserwacje nieba prowadził z innego miejsca – z położonego poza murami domu, w którym mieszkał. We Fromborku powstało jego największe dzieło *O obrotach sfer niebieskich*. Muzeum Kopernika mieści się w pałacu biskupów warmińskich.

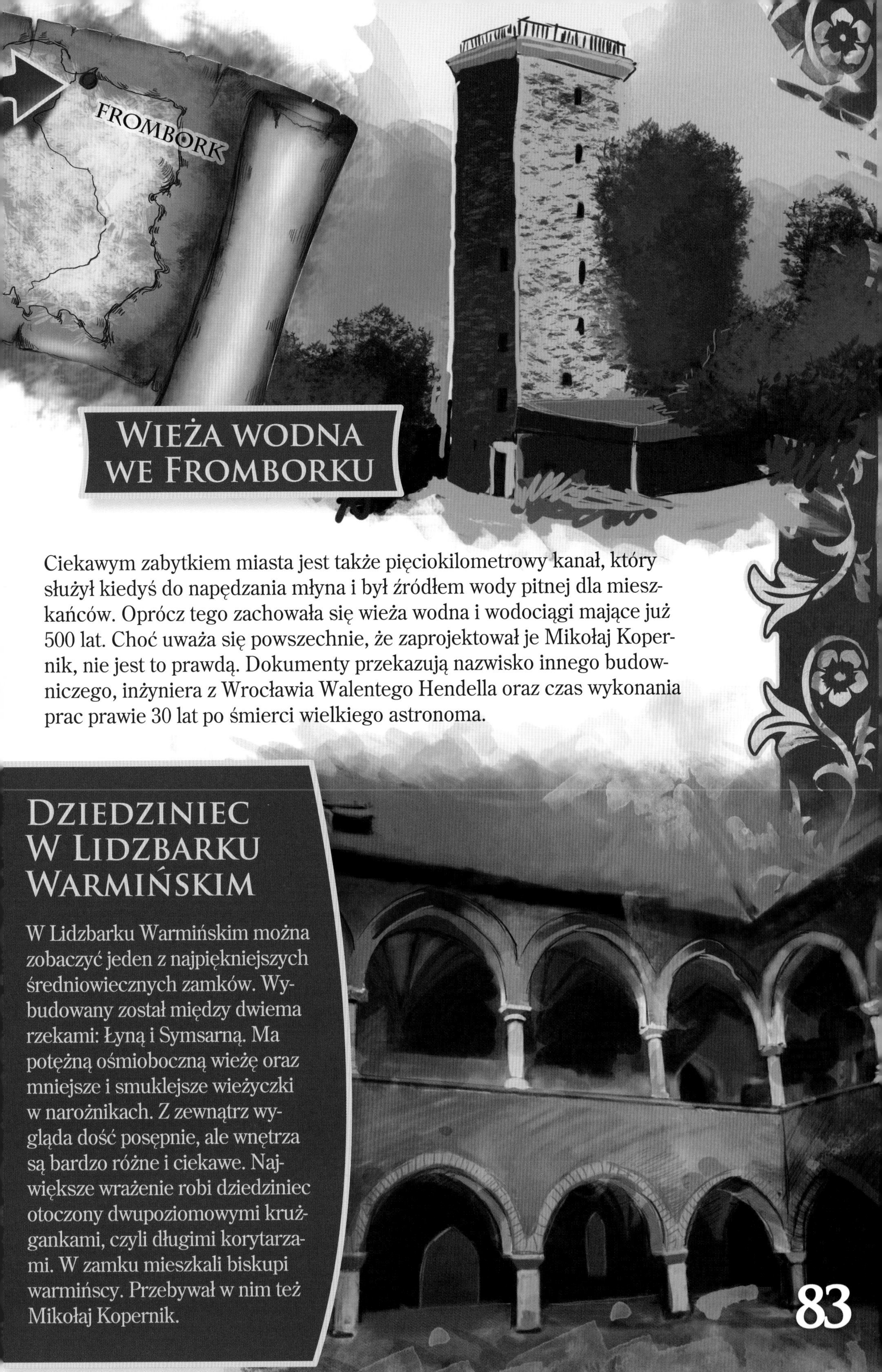

Wieża wodna we Fromborku

Ciekawym zabytkiem miasta jest także pięciokilometrowy kanał, który służył kiedyś do napędzania młyna i był źródłem wody pitnej dla mieszkańców. Oprócz tego zachowała się wieża wodna i wodociągi mające już 500 lat. Choć uważa się powszechnie, że zaprojektował je Mikołaj Kopernik, nie jest to prawdą. Dokumenty przekazują nazwisko innego budowniczego, inżyniera z Wrocławia Walentego Hendella oraz czas wykonania prac prawie 30 lat po śmierci wielkiego astronoma.

Dziedziniec w Lidzbarku Warmińskim

W Lidzbarku Warmińskim można zobaczyć jeden z najpiękniejszych średniowiecznych zamków. Wybudowany został między dwiema rzekami: Łyną i Symsarną. Ma potężną ośmioboczną wieżę oraz mniejsze i smuklejsze wieżyczki w narożnikach. Z zewnątrz wygląda dość posępnie, ale wnętrza są bardzo różne i ciekawe. Największe wrażenie robi dziedziniec otoczony dwupoziomowymi krużgankami, czyli długimi korytarzami. W zamku mieszkali biskupi warmińscy. Przebywał w nim też Mikołaj Kopernik.

6. Na polach Grunwaldu

Mała wioska Grunwald była kiedyś świadkiem jednej z największych bitew średniowiecza. Na polach Grunwaldu 15 lipca 1410 roku rycerstwo polskie, litewskie i ruskie pod wodzą króla Władysława Jagiełły pokonało potęgę zakonu krzyżackiego. Dziś w miejscu starcia wielkich armii, na Wzgórzu Zwycięstwa, stoi pomnik, amfiteatr oraz arena z kamienną makietą przedstawiającą bitwę.

Na ogromnym polu bitewnym można również znaleźć ruiny kaplicy, którą wystawiono niedługo po walce, kamień Jungingena – czyli miejsce, gdzie zginął wielki mistrz krzyżacki – kopiec Jagiełły usypany przez harcerzy w miejscu, z którego władca dowodził bitwą, a także kamienie ze

zburzonego przez Niemców pomnika grunwaldzkiego z Krakowa. Każdego roku w lipcu na polach Grunwaldu odbywa się wielka inscenizacja bitwy. Biorą w niej udział bractwa rycerskie z Polski, jak również z zagranicy.

W okolicach Grunwaldu znajduje się wiele zamków krzyżackich, między innymi w Brodnicy, Działdowie, Nidzicy, Morągu czy Szczytnie opisanym przez Henryka Sienkiewicza w powieści *Krzyżacy*. Tam miała zostać uwięziona Danusia i tam szukał jej ojciec, dzielny Jurand ze Spychowa, oślepiony przez krzyżaków.

Nad Jeziorem Drwęckim i rzeką Drwęcą leży Ostróda, nazywana kiedyś „perłą Mazur". Tu też znajduje się krzyżacki zamek i stary kościół św. Dominika Savio, patrona ministrantów. Do Ostródy można dopłynąć statkiem przez Kanał Elbląski z najdłuższego polskiego jeziora Jezioraku. Na tym jeziorze jest wiele wysp, w tym dwie zamieszkane: Wielka Żuława i Bukowiec.

7. W Puszczy Augustowskiej

Puszcza Augustowska to wielki obszar borów i lasów, przeważnie sosnowych. Kiedyś w jej ostępach zamieszkiwali Jaćwingowie, spokrewnieni z Prusami i Litwinami. Był to lud dziki i wojowniczy, a najbardziej cenił sobie sławę zdobytą w boju. Teraz puszcza należy do jeleni, dzików, lisów, zajęcy, a także łosi, rysiów i bobrów. Nad rzeką Marychą bobry chroni rezerwat. Na tym terenie żyje też wiele ptaków: głuszców, cietrzewi, orłów bielików, bocianów czarnych, łabędzi oraz bardzo rzadkich krzyżodziobów, nurów czarnoszyich czy kwiczołów. Puszcza kryje również stawy, jeziora i wydmy.

Zbudowany 100 lat temu Kanał Augustowski łączy Biebrzę i Narew z Niemnem. Ma 100 kilometrów długości i mogą po nim pływać całkiem duże statki. Zaprojektował go generał Ignacy Prądzyński, znany i bardzo zdolny polski dowódca, który walczył w powstaniu listopadowym. Najciekawszymi urządzeniami na kanale są śluzy. Jest ich kilkanaście. Mają drewniane wrota i są otwierane tak jak 100 lat temu. Do najładniejszych należą śluzy: Przewięź, Perkuć i Kudrynki.

Nazwa puszczy i kanału pochodzi od Augustowa – miasta, które zgodnie z tradycją zostało założone przez króla Zygmunta Augusta na pamiątkę pierwszego spaceru władcy z piękną Barbarą Radziwiłłówną, później przez niego poślubioną.

Śluza na Kanale Augustowskim

W Sejnach znajduje się dawny klasztor Dominikanów z piękną bazyliką Nawiedzenia Najświętszej Maryi Panny. Znajduje się w niej łaskami słynąca figura Matki Bożej Sejneńskiej. W miasteczku mieszka bardzo dużo Litwinów.

Wiele osób uważa, że najpiękniejszym polskim jeziorem są Wigry. Dlatego utworzono nad nim Wigierski Park Narodowy. Przepływa przez niego Czarna Hańcza, a dookoła leży ponad 40 jezior i jeziorek. Wśród lasów i bagien żyją bobry, piżmaki, łosie, wydry, bieliki i łabędzie, a rosną między innymi rosiczki, które pożerają owady. Nad Wigrami zbudowano dawno temu klasztor Kamedułów z pięknym kościołem oraz dziesięcioma domkami pustelników, czyli eremami.

Akwedukty Puszczy Rominckiej

Stańczyki to mała wieś słynąca z niezwykłej budowli – akweduktów Puszczy Rominckiej. Jest to najwyższy w Polsce wiadukt kolejowy. Tworzą go dwa akwedukty długie na 200 metrów i wysokie na 36 metrów, czyli tyle, co dziesięciopiętrowy blok.

8. U BIAŁOWIESKIEGO ŻUBRA

Po pierwszej wojnie światowej, czyli prawie 100 lat temu, ubito w Puszczy Białowieskiej ostatniego dziko żyjącego żubra. Ale dzięki wyhodowaniu przez przyrodników tego zwierzęcia w zoo i wypuszczeniu na wolność, król polskich zwierząt znów mieszka w Puszczy Białowieskiej. Puszcza to bardzo stary las, kiedyś porastała znaczne obszary naszego kraju. W najstarszym w Polsce, Białowieskim Parku Narodowym, czyli miejscu gdzie chroni się wszystkie rosnące tam rośliny i żyjące zwierzęta, można zobaczyć, jak wyglądały dawne lasy, w których polowali nasi królowie. Już w tamtych czasach władcy starali się chronić puszczę. W tym prastarym lesie mieszkają także łosie, wilki, borsuki, bobry, rysie, czarne bociany, żurawie, puchacze i żółwie błotne. Hoduje się tam także koniki tarpany.

DĄB „CAR"

W Puszczy Białowieskiej drzewa są naprawdę stare i ogromne. Rosną tu świerki, z których największe mają nawet ponad 50 metrów wysokości i prawie pięć metrów w obwodzie. Trochę niższe są dęby. Najstarsze liczą już sobie prawie 500 lat. Jednym z nich jest potężny dąb „Car", który – dziś już martwy – stoi na brzegu doliny rzeki Leśnej Prawej. Najpotężniejszym i żywym dębem w Białowieży jest Dąb „Maciek". Ma on 40 metrów wysokości i prawie 7,5 metra grubości. Grubszy od niego jest tylko martwy Dąb „Beczka". Ale za najsłynniejsze drzewo Puszczy uchodzi Dąb „Jagiełło", bo pod nim podobno miał siadywać król Władysław Jagiełło przed bitwą pod Grunwaldem. Niestety, dąb ten został powalony przez wichurę 40 lat temu i dziś można oglądać tylko jego leżący i butwiejący ogromny pień. Dwudziestu olbrzymim drzewom nadano imiona polskich władców i wyznaczono z nich Szlak Dębów Królewskich. Najstarszymi wśród nich są: Stefan Batory, Barbara Radziwiłłówna, Zygmunt August, Zygmunt Stary. Wszystkie liczą po prawie 500 lat.

9. Las krzyży na Świętej Górze Grabarce

Święta Góra Grabarka jest najważniejszym miejscem kultu dla wyznawców prawosławia. Legenda mówi, że kiedyś, gdy wybuchła epidemia dżumy, święty starzec ocalił tych, którzy poszli za nim. Dotarli na wzgórze z tryskającym u jego stóp źródełkiem i przez cały czas pili tę wodę. Jako podziękowanie za uratowanie od śmierci każdy wbił wtedy w ziemię krzyż. Potem przychodzili inni ludzie i też zostawiali swoje krzyże. Miejsce stało się znane i słynne z cudów, a cała góra pokryła się krzyżami różnej wielkości. Zbudowano tu monaster, czyli klasztor, oraz cerkiew, czyli prawosławną świątynię.

Na Podlasiu znajduje się dużo prawosławnych świątyń, w tym największa w Polsce cerkiew Świętego Ducha w Białymstoku. W Bielsku Podlaskim można zobaczyć niebieską cerkiew św. Michała Archanioła. Podobna, też niebieska, stoi w Rajsku. Jedną z najstarszych i najpiękniejszych świątyń Podlasia wzniesiono w miejscowości Ortel Królewski niedaleko Białej Podlaskiej.

Podlasie słynie także ze znanej na całym świecie stadniny koni czystej krwi arabskiej w Janowie Podlaskim. Odbywają się w niej sławne aukcje. Tu sprzedano najdroższą klacz Penicylinę oraz ogiera El Passo. Za każdego zapłacono milion dolarów. Zabytkowe zabudowania stadniny wybudowano w parku pobliskiej wsi Wygoda. Najstarsze stajnie „Czołowa" i „Zegarowa" zostały zaprojektowane przez architekta Henryka Marconiego.

W kościele Świętej Trójcy w Janowie znajduje się grób pisarza i poety bp. Adama Naruszewicza, a na Starym Rynku zachowała się jedna z najstarszych w Polsce stacji benzynowych.

Cerkiew Świętego Ducha w Białymstoku

10. Cud w Sokółce i tatarskie wioski

Sokółka to stare miasteczko położone u źródeł rzeki Sokołdy na Wzgórzach Sokólskich. Niedawno stało się ono znane za sprawą cudu eucharystycznego, czyli przemienienia się Hostii w prawdziwe Ciało Chrystusa. W kościele św. Antoniego w 2008 roku ksiądz podniósł z posadzki konsekrowany komunikant i włożył do specjalnego naczynia z wodą, gdzie miał się rozpuścić. Po tygodniu zauważono na nim czerwone ślady. Badania przeprowadzone przez uczonych wykazały, że z Hostią przeplatają się tkanki mięśnia sercowego człowieka. Przemieniona cząstka Ciała Pańskiego została wystawiona w relikwiarzu w nawie kościoła. Do Sokółki przybywają rzesze pielgrzymów, aby zobaczyć cud.

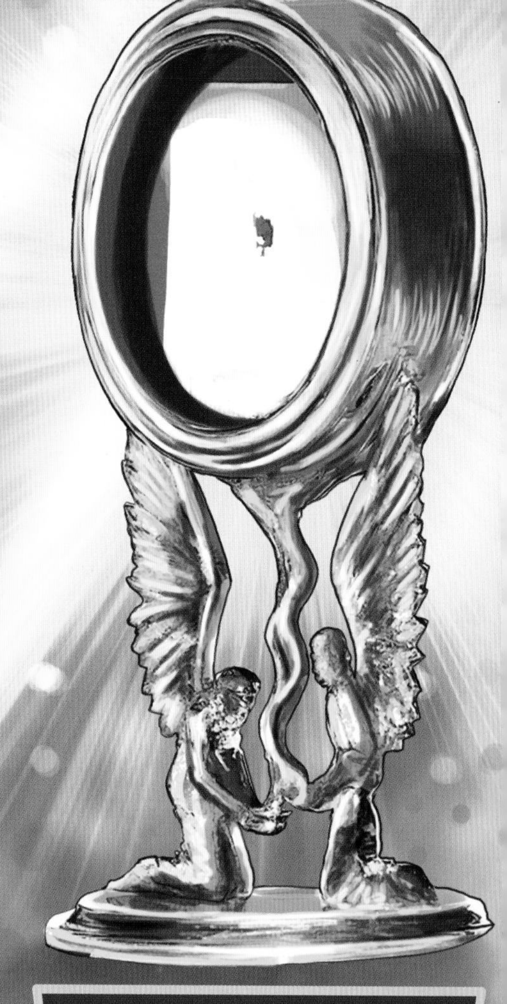

Relikwiarz z cudowną Hostią

SOKÓŁKA

Niedaleko Sokółki leżą wioski Kruszyniany i Bohoniki, które do dnia dzisiejszego zamieszkałe są przez Tatarów. W Kruszynianach osiadł kiedyś pułkownik Samuel Murza Krzeczowski. Był Tatarem, ale walczył w polskim wojsku. W bitwie pod Wiedniem uratował życie królowi Janowi III Sobieskiemu. To właśnie ten władca nadał kilka wsi Tatarom. Był nawet gościem u pułkownika Krzeczowskiego w Kruszynianach.

Polskich Tatarów, czyli tych, którzy zamieszkali na ziemiach Rzeczypospolitej i służyli polskim królom, nazywano Lipkami. Nazwa ta pochodzi od tureckiego określenia Litwy, ponieważ tam mieszkało ich najwięcej.

Kamień nagrobny z mizaru

Lipkowie byli muzułmanami i w swoich polskich wioskach budowali meczety. W Bohonikach oprócz meczetu znajduje się także muzułmański cmentarz, czyli mizar. Leży on za wsią przy drodze do Malawicz. Zachowały się na nim stare nagrobki ozdobione półksiężycem i napisami po arabsku lub po polsku i białorusku, ale z arabskimi literami. Spośród znanych Polaków, którzy mieli tatarskich przodków, można wymienić pisarza Henryka Sienkiewicza, autora Trylogii, laureata Nagrody Nobla.

Kobieta w tatarskim stroju ludowym

11. Nad Narwią i Biebrzą

Narew jest rzeką jedyną w swoim rodzaju. Tylko ona jedna w całej Europie płynie nie jednym, ale wieloma korytami, które na dodatek tworzą bardzo skomplikowaną, nieregularną sieć. Ten zadziwiający labirynt najlepiej jest widoczny z lotu ptaka lub po prostu na mapie. Z bliska dobrze jest się przyjrzeć Narwi w okolicy Łomży, gdzie widać ten dziki krajobraz wśród meandrów, zakoli, bagien i torfowisk, z mnóstwem ptactwa wodno-błotnego przy brzegach. Dolina Narwi nazywana jest „Polską Amazonią". W górnym biegu rzeki utworzono Narwiański Park Narodowy.

Warto zwiedzić Muzeum Przyrody w Drozdowie, urządzone we dworze Lutosławskich. Witold Lutosławski był światowej sławy kompozytorem, a Kazimierz – księdzem i współtwórcą polskiego harcerstwa. W Drozdowie zmarł Roman Dmowski, znany polityk, który przyczynił się do odzyskania przez Polskę niepodległości w 1918 roku po latach zaborów.

Pentowo to jedyna w Polsce Europejska Wioska Bocianów. W niewielkiej osadzie roi się od bocianich gniazd; jest ich kilkadziesiąt z ponad setką tych ptaków.

W Łomży, kiedyś siedzibie książąt mazowieckich, znajduje się katedra św. Michała Archanioła ze słynącym łaskami obrazem Matki Bożej Pięknej Miłości, koronowanym przez papieża Polaka Jana Pawła II.

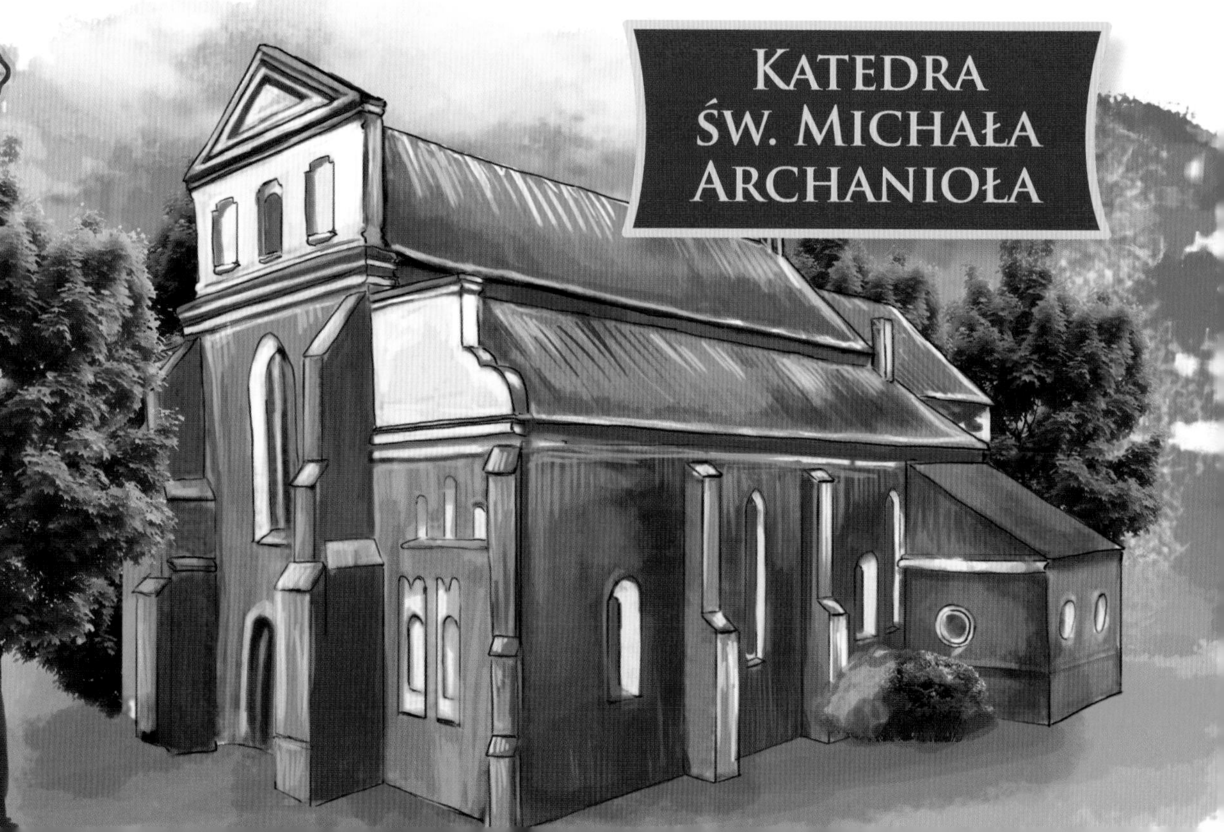

Nad prawym dopływem Narwi – Biebrzą – rozciągają się największe w Polsce, ale i w całej Europie bagna. Ta dzika kraina podmokłych łąk i torfowisk jest rajem dla wodnego ptactwa. Żyją tam bardzo rzadkie, zagrożone wyginięciem ptaki o tak dziwnych nazwach jak: dubelt, wodniczka, orlik grubodzioby, batalion czy świstun. Bagna upodobały sobie także łosie i bobry. Rozległe bagna są częścią Biebrzańskiego Parku Narodowego – największego parku narodowego w Polsce.

W pobliżu miejsca, gdzie Biebrza wpada do Narwi, leży Wizna. W czasie drugiej wojny światowej w schronach pod Górą Strękową bronił się przez trzy dni kapitan Władysław Raginis ze swoimi żołnierzami. Wobec wielkiej przewagi Niemców, po wyczerpaniu amunicji, bohaterski dowódca wysadził się w powietrze w jednym ze schronów, nie chcąc się poddać.

Twierdza Osowiec została zbudowana na polecenie władcy Rosji – cara. Strzegła jedynej przeprawy, czyli przejścia przez biebrzańskie bagna. Jej budowa w tak trudnym terenie trwała aż 10 lat. Twierdza Osowiec składa się z czterech potężnych fortów i nigdy nie została zdobyta.

Kapitan Władysław Raginis

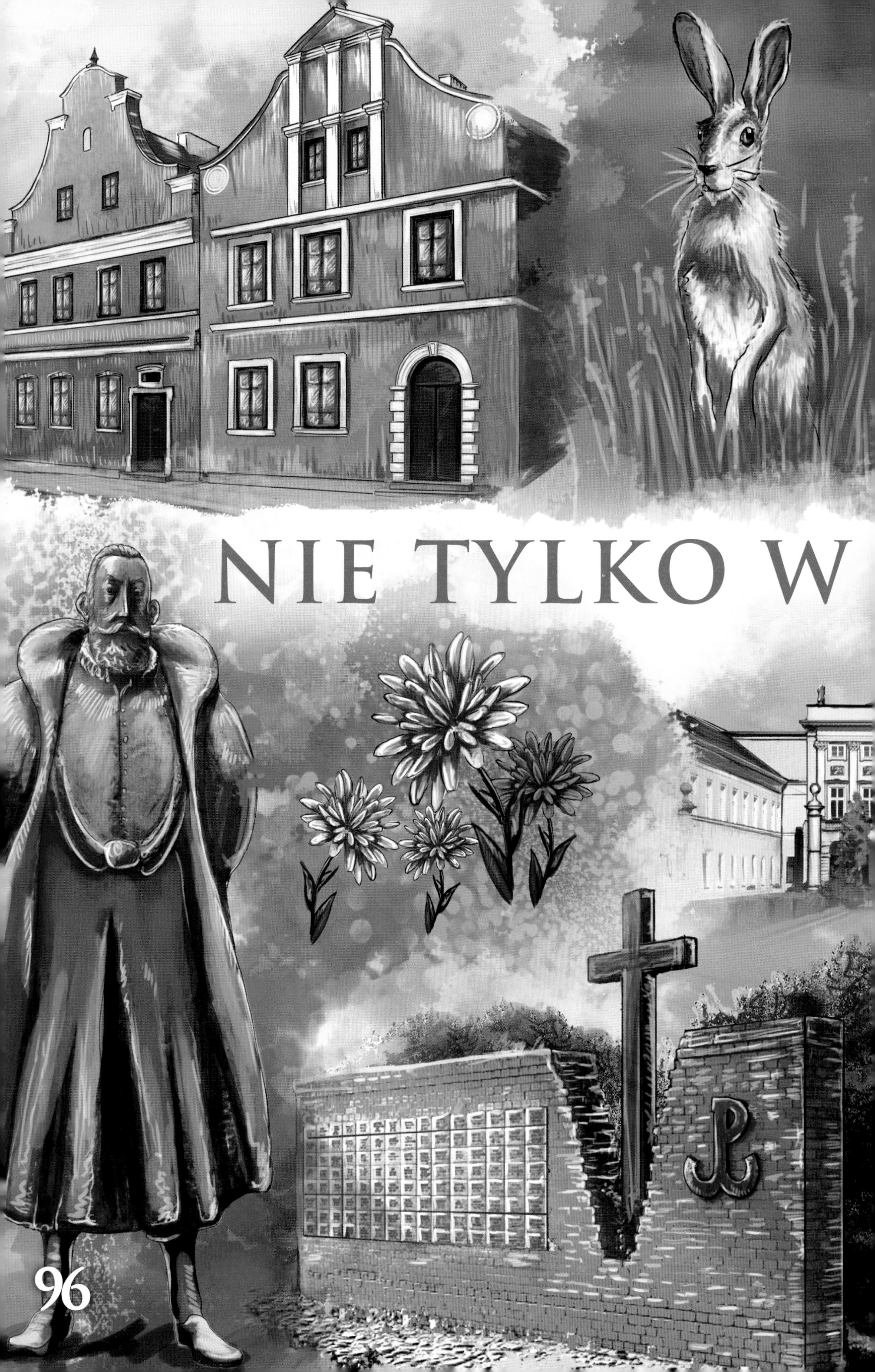
NIE TYLKO W

WARSZAWIE

1. Warszawa – stolica Polski

Legenda głosi, że nazwę miastu dali Wars i Sawa, ubogi rybak i jego żona, którzy mieszkali w małej chatce nad Wisłą. Pewnego razu książę Siemomysł zgubił się na polowaniu w kniei i trafił do domu Warsa i Sawy, którzy udzielili mu schronienia, ratując przed niebezpieczeństwem. Z wdzięczności za pomoc książę ofiarował im te ziemie na zawsze, aby ich dobroć nie została zapomniana.

W herbie Warszawy widnieje syrena. Podobno kiedyś piękna panna z rybim ogonem przypłynęła Wisłą do Warszawy. Choć wzburzała fale, mąciła wodę i plątała sieci rybakom, wszyscy ją kochali, bo ładnie śpiewała. Ale pewien bogaty kupiec uwięził syrenę, bo chciał zarabiać na jej głosie. Uwolnił ją syn rybaka. Z wdzięczności za to Syrenka obiecała bronić w potrzebie miasta. Dlatego ma miecz i tarczę.

Król Zygmunt III Waza przeniósł stolicę Polski z Krakowa do Warszawy, gdy pożar strawił wawelski zamek. Warszawa nie była tak prastarym miastem jak Gniezno, Poznań czy Kraków, ale leżała w środku państwa, co dla władców kraju

Zamek Królewski

11 listopada 1918 roku, w dniu odzyskania przez Polskę niepodległości, na wieży Zamku Królewskiego zatknięto biało-czerwoną flagę. W czasie wojny zamek został wysadzony w powietrze przez Niemców, dziś stoi odbudowany.

było bardzo dogodne. Wkrótce kolejni monarchowie rozbudowali nową stolicę Polski. Za panowania ostatniego króla, Stanisława Augusta Poniatowskiego, Warszawa uchodziła za jedną z ładniejszych europejskich stolic. Wtedy też stała się znana z uchwalenia drugiej na świecie, po amerykańskiej, konstytucji. Miało to miejsce 3 maja 1791 roku. Przeszło 100 lat później, po odzyskaniu przez Polskę niepodległości, wybrano ją na stolicę odrodzonego państwa. Znów zachwycała wielu i była nazywana „Paryżem Północy". Niestety, w czasie drugiej wojny światowej została zniszczona za to, że jej mieszkańcy walczyli z niemieckim okupantem. Przez dwa miesiące bohatersko walczyli w stolicy powstańcy warszawscy. Niemcy zburzyli większość domów i innych budynków, szczególnie w Śródmieściu. Po wojnie odbudowano zabytkowe budowle.

W katedrze św. Jana koronowano dwóch królów Polski: Stanisława Leszczyńskiego i Stanisława Augusta Poniatowskiego. Tu zaprzysiężono Konstytucję 3 maja. W kościele tym znajdują się groby między innymi: Prymasa Tysiąclecia kard. Stefana Wyszyńskiego, premiera i pianisty Ignacego Jana Paderewskiego, prezydenta Ignacego Mościckiego i pisarza Henryka Sienkiewicza.

Kolumna Zygmunta

Zygmunt III Waza stoi na wysokiej na cztery piętra kolumnie na placu Zamkowym. Pomnik ten postawił syn króla, jego następca Władysław IV.

2. Warszawa – przy Trakcie Królewskim, w Łazienkach i muzeach

Trakt Królewski w Warszawie prowadzi przez Krakowskie Przedmieście, reprezentacyjną ulicę stolicy. Stoi przy niej Pałac Prezydencki zbudowany prawie 400 lat temu. W czasie zaborów mieszkali w nim carscy namiestnicy, którzy rządzili zniewoloną Polską. Po odzyskaniu niepodległości urzędował w nim polski rząd. Dzisiaj jest siedzibą prezydenta państwa. Na dziedzińcu znajduje się pomnik księcia Józefa Poniatowskiego, wodza wojsk polskich, ale także marszałka Francji, dzielnego dowódcy i bohatera wielu bitew.

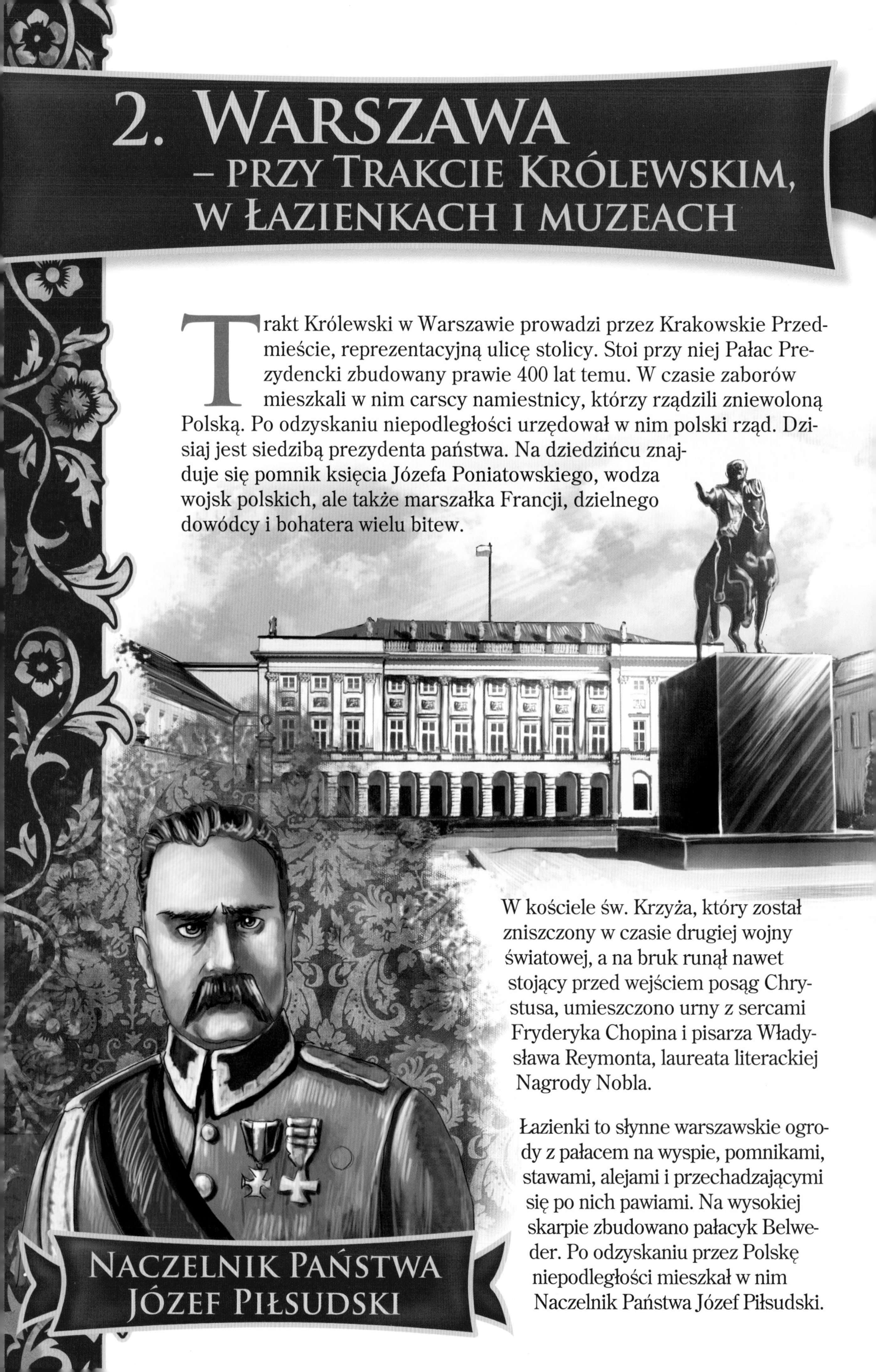

W kościele św. Krzyża, który został zniszczony w czasie drugiej wojny światowej, a na bruk runął nawet stojący przed wejściem posąg Chrystusa, umieszczono urny z sercami Fryderyka Chopina i pisarza Władysława Reymonta, laureata literackiej Nagrody Nobla.

Łazienki to słynne warszawskie ogrody z pałacem na wyspie, pomnikami, stawami, alejami i przechadzającymi się po nich pawiami. Na wysokiej skarpie zbudowano pałacyk Belweder. Po odzyskaniu przez Polskę niepodległości mieszkał w nim Naczelnik Państwa Józef Piłsudski.

Naczelnik Państwa Józef Piłsudski

Jedną z najsłynniejszych polskich rezydencji jest pałac króla Jana III Sobieskiego w Wilanowie wraz z otaczającym go parkiem.

Wśród wielu muzeów stolicy jedno wyróżnia się szczególnie. To należące do najmłodszych, odwiedzane codziennie przez bardzo wielu gości Muzeum Powstania Warszawskiego. Z daleka widać jego wysoką na 10 pięter wieżę z kotwicą – znakiem Polski Walczącej. W tym nowoczesnym muzeum można wysłać list powstańczą pocztą, wejść na barykadę i przejść ciemnym, wąskim i mokrym kanałem, jakim powstańcy przedostawali się do różnych dzielnic miasta, gdy normalne drogi były zajęte przez Niemców. Walczących w powstaniu warszawiaków przybliża zwiedzającym tysiące eksponatów i fotografii oraz makieta samolotu liberator, którym dostarczano powstańcom pomoc.

Cmentarz Powązkowski jest większy od państwa papieskiego – Watykanu. Zajmuje 43 hektary, spoczywa na nim wielu znanych Polaków. Na Powązkach znajduje się także Cmentarz Wojskowy, na którym spoczywają między innymi żołnierze walczący o wolność i niepodległość ojczyzny, w tym powstańcy warszawscy oraz zamordowani przez komunistów „żołnierze wyklęci". Pochowani zostali w kwaterze Łączka i dopiero niedawno ich groby zostały odkryte, bo komunistyczni oprawcy chcieli, żeby nikt o nich nie wiedział i nie pamiętał. Tak się jednak nie stało. Ich ofiarą był również ks. Jerzy Popiełuszko, który został zamordowany za wspieranie „Solidarności". Przy kościele św. Stanisława Kostki znajduje się jego grób a także poświęcone mu muzeum.

3. PODWARSZAWSKIE TWIERDZE I POLA BITEWNE

Twierdza Modlin, położona przy ujściu rzeki Narwi do Wisły, robi ogromne wrażenie. Jej budowę rozpoczął Napoleon I, cesarz Francji. Ma ona dwa pierścienie obrony. Wewnętrzny składa się z ośmiu fortów, a zewnętrzny z dziesięciu. Budynek koszar jest najdłuższy w Europie i ma przeszło dwa kilometry. Dziś twierdza stoi opuszczona, ale można ją zwiedzać.

TWIERDZA MODLIN

Przy drodze z Warszawy do Białegostoku leży Radzymin. Kiedyś, gdy okolice te porastały knieje i puszcze, było tu niebezpiecznie. Na podróżnych czyhały watahy zbójców i innych złoczyńców. Podobno nazwa osady wzięła się od przestrogi przekazywanej podróżującym w te strony, a brzmiała ona: „Radzę omiń”. Jednak historycy uważają raczej, że nazwa wywodzi się od słowiańskiego imienia Radzymir. Jest to miejsce wielkiej bitwy. W 1920 roku Polacy powstrzymali tu bolszewików atakujących Warszawę. Polskie zwycięstwo uratowało wtedy Europę przed komunizmem i zostało nazwane „cudem nad Wisłą”.

W pobliskim Ossowie w tej bitwie zginął bohaterski ks. Ignacy Skorupka, który poprowadził żołnierzy do ataku z krzyżem w ręku. W miejscu śmierci kapłana postawiono krzyż i pomnik. Walki upamiętnia także kaplica i Cmentarz Poległych w Bitwie Warszawskiej. Co roku w połowie sierpnia odbywają się w Ossowie uroczyste obchody rocznicy „cudu nad Wisłą".

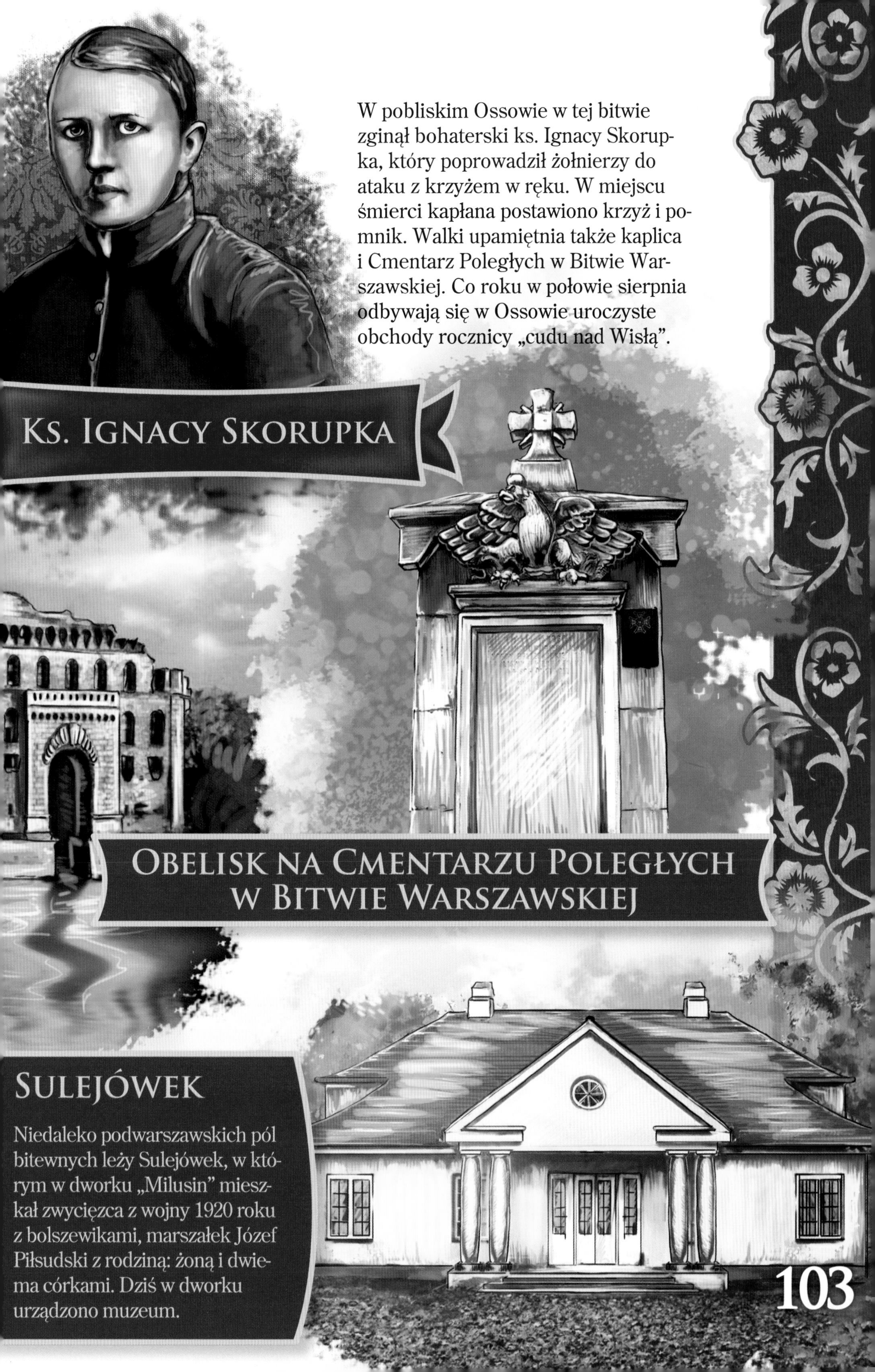

Ks. Ignacy Skorupka

Obelisk na Cmentarzu Poległych w Bitwie Warszawskiej

Sulejówek

Niedaleko podwarszawskich pól bitewnych leży Sulejówek, w którym w dworku „Milusin" mieszkał zwycięzca z wojny 1920 roku z bolszewikami, marszałek Józef Piłsudski z rodziną: żoną i dwiema córkami. Dziś w dworku urządzono muzeum.

4. W Puszczy Kampinoskiej

KAMPINOSKI PARK NARODOWY

Za Warszawą Wisła zatacza szeroki łuk. W tym łuku rozłożyła się Puszcza Kampinoska. Jej nazwa pochodzi od wsi Kampinos, w której znajduje się stary drewniany kościół i dworek. Niedaleko, na obrzeżach puszczy zbudowano inne dworki, jak choćby Tułowice czy najbardziej znany w Żelazowej Woli, gdzie urodził się Fryderyk Chopin. W parku otaczającym dworek postawiono pomnik sławnego pianisty i kompozytora znanego na całym świecie. W Niepokalanowie, niedaleko Sochaczewa, św. Maksymilian Maria Kolbe, który poniósł męczeńską śmierć w niemieckim obozie koncentracyjnym w Oświęcimiu, założył jeden z największych na świecie klasztorów Franciszkanów.

Puszcza Kampinoska była świadkiem walk Polaków o wolność. Dlatego można w niej spotkać mogiły powstańców styczniowych, żołnierzy i partyzantów z drugiej wojny światowej. Tu też znajduje się cmentarz w Palmirach, miejscu, gdzie Niemcy zamordowali w czasie wojny przeszło dwa tysiące osób, przede wszystkim z Warszawy.

Kościół Wniebowzięcia NMP w Kampinosie

Puszczę chroni założony tu Kampinoski Park Narodowy. Jego utworzenie proponował już prawie 100 lat temu znany pisarz Stefan Żeromski. Oprócz lasów w parku chronione są wydmy – jedne z najlepiej zachowanych w Europie. Rosną na nich lasy iglaste, pozostałe po rosnącej tu kiedyś wielkiej puszczy. Jest to teren, na którym występują najmniejsze opady w ciągu roku. Poza sosnami, paprociami, mchami i wieloma kwiatami w puszczy rosną bardzo rzadkie gatunki o dziwnych nazwach, jak chamedafne północna, zimoziół północny, wisienka kwaśna i – najcenniejszy – wężymord stepowy. Wśród zwierząt można spotkać łosia, który widnieje w herbie parku, poza tym bobry, rysie, wydry, zające czy nietoperze. W puszczy żyje także wiele ptaków, jak żurawie, orły przednie, sokoły wędrowne, bieliki i rybołowy, oraz gady i płazy z bardzo rzadką ropuchą paskówką. W parku jest też dużo mrowisk i raczej niespotykany w Polsce pająk południowoeuropejski.

5. Zuzela prymasa Stefana Wyszyńskiego

Święty Jan Paweł II mówił, że nie zostałby papieżem, gdyby nie było Prymasa Polski ks. kard. Stefana Wyszyńskiego nazywanego Prymasem Tysiąclecia. Mały Stefan, którego tata był organistą w kościele, urodził się w Zuzeli, niewielkiej wiosce. Dzisiaj możemy zwiedzać tam Muzeum Lat Dziecięcych Prymasa Tysiąclecia. Urządzono je w budynku starej szkoły, w której uczył się mały Stefan. Był też ministrantem i pomagał jako chłopiec, nosząc cegły przy budowie stojącego do dzisiaj murowanego kościoła. Zachowała się w nim stara chrzcielnica, w której kard. Wyszyński został ochrzczony, oraz wisi obraz Matki Bożej, przed którym się modlił.

Muzeum Lat Dziecięcych Prymasa Tysiąclecia

W jednej części muzeum znajduje się klasa wyglądająca tak jak w czasach uczniowskich Prymasa Tysiąclecia przed ponad 100 laty. W drugiej części urządzono mieszkanie państwa Wyszyńskich ze starymi meblami, sprzętami oraz obrazami Matki Bożej Częstochowskiej i Ostrobramskiej, przed którymi modliła się cała rodzina.

Był to czas, gdy nie było niepodległej Polski, a w miejscowej szkole uczono po rosyjsku, gdyż ziemie te należały do Rosji. Tata Stefana był patriotą i tak też wychowywał syna. Na ścianach były zawieszone portrety polskich bohaterów: księcia Józefa Poniatowskiego i Tadeusza Kościuszki. Stefan nie

lubił chodzić do obcej, rosyjskiej szkoły, ale polskiej historii i języka uczył się z tatą, który zabierał też syna na nocne wyprawy do lasu, gdzie z innymi gospodarzami, tak aby nie zauważyli ich Rosjanie, stawiali krzyże na grobach powstańców styczniowych poległych w walce o niepodległą Polskę. Czytał też Stefanowi, który wtedy chciał zostać maszynistą kolejowym, książki. Zachowała się jedna z nich – *Żywoty świętych*.

Zuzela leży w bardzo malowniczej okolicy nad rzeką Bug. „Pamiętam pierwsze po obudzeniu się wejrzenie przez okno na niedaleki Bug, którym płynęły berliny (łodzie) ze zbożem, świecąc z daleka białym płótnem żagli. Było to dla nas ulubione zajęcie: prosto z łóżka biegliśmy do okna, aby je zobaczyć". Dzisiaj rzeki już nie widać. Po wielkiej powodzi przesunęła się kilometr dalej. Co roku 3 sierpnia w Zuzeli pamięta się o dniu urodzin Prymasa Wyszyńskiego.

6. Płock – książęce miasto stołeczne

Ze Wzgórza Tumskiego w Płocku rozciąga się widok na całe miasto. Podobno książę Bolesław Krzywousty lubił spacerować o wschodzie słońca po wzgórzu i patrzeć na okolicę. Kiedyś oprowadzał po wzgórzu swojego gościa – księżnę Elżbietę, której bardzo spodobała się wysoka skarpa nad Wisłą, a szczególnie zaciekawiły ją tamtejsze groty. Na pamiątkę jedną z nich nazwano Grotą Elżbiety.

Grota Elżbiety

To ojciec Bolesława, książę Władysław Herman, uczynił z Płocka stolicę państwa. Na wzgórzu od dawna stał już obwarowany gród. Otaczał go wał drewniano-ziemny, a od strony Wisły dodatkowo podwójna fosa. Nazwa grodu wzięła się właśnie od tego obronnego „płotu". Książę Władysław zbudował na wzgórzu katedrę Najświętszej Maryi Panny, która prawdopodobnie dorównywała wtedy okazałością katedrze wawelskiej. Ale za panowania Bolesława Krzywoustego biskup płocki Aleksander z Malonne wzniósł drugą katedrę i ufundował

Bazylika Wniebowzięcia NMP

do niej słynne brązowe Drzwi Płockie. Wielkie wrota zdobiły sceny z Biblii, różne symbole i portrety biskupów. Niestety, syn Krzywoustego, Bolesław Kędzierzawy podarował drzwi Nowogrodowi Wielkiemu (dziś należącemu do Rosji) i tam się znajdują. W Płocku można oglądać ich wierną kopię.

Na Starym Rynku w Płocku stoi ratusz, jeden z najpiękniejszych w Polsce. W samo południe spod tarczy zegarowej wychodzi postać księcia Władysława Hermana, który pasuje na rycerza Bolesława Krzywoustego. Bolesław i jego brat Zbigniew byli pierwszymi w Polsce pasowanymi rycerzami.

Drzwi Płockie

Herma św. Zygmunta

W katedrze płockiej, w kaplicy Królewskiej pochowano Władysława Hermana i Bolesława Krzywoustego. W skarbcu katedralnym znajduje się między innymi herma św. Zygmunta, czyli rzeźba głowy (popiersie), wykonana ze złota, a podarowana przez króla Kazimierza Wielkiego.

7. Stare samochody, tancerze i malarz

Niedaleko Warszawy, w Otrębusach w Muzeum Motoryzacji i Techniki zgromadzono około 300 zabytkowych pojazdów. Najstarszy samochód z kolekcji został wyprodukowany w Niemczech i ma ponad 100 lat. Kiedyś w ciągu godziny mógł pokonać 15 kilometrów, jeżeli kierowca wcisnął gaz „do dechy". W muzeum znajdują się samochody należące przedtem do znanych osób – polityków, aktorów. Jest wśród nich auto podarowane przez Polaków z zagranicy Prymasowi Tysiąclecia ks. kard. Stefanowi Wyszyńskiemu. Są tu także pojazdy z czasów drugiej wojny światowej: niemieckie czarne mercedesy, samochód pancerny, a nawet czołg. Wśród motocykli znaleźć można polskie sokoły, junaki, a nawet komary, romety i motorynki.

Pałacyk w Karolinie można nazwać roztańczonym, ma bowiem w nim swą siedzibę zespół „Mazowsze". Jest to jeden z najsłynniejszych zespołów, który występuje na całym świecie, śpiewając polskie pieśni i wykonując polskie tańce ludowe. W pałacyku znajduje się muzeum polskich strojów ludowych oraz pamiątek przywiezionych przez „Mazowsze" z licznych koncertów.

W Podkowie Leśnej zaprojektowanej jako miasto-ogród, gdzie ulice noszą nazwy kwiatów, drzew, ptaków i zwierząt, kościół zbudowali członkowie automobilklubu. Dlatego święcono w nim samochody już przed pierwszą wojną światową, czyli ponad 100 lat temu.

Kuklówka to miejscowość, w której mieszkał malarz Józef Chełmoński. Kiedy osiadł w modrzewiowym dworku, miał za sobą pobyt w Paryżu i wielkie sukcesy. W Kuklówce zrezygnował ze światowego życia i zajął się malowaniem oraz uprawą roli. Jego dzieła można podziwiać w największych muzeach. Sławę przyniosły mu obrazy przedstawiające rozpędzone czwórki i trójki koni, a także pejzaże wiejskie: *Odlot żurawi*, *Bociany*, *Babie lato*. W czasach, gdy był studentem, wzbudzał prawdziwą sensację swoim ubiorem. Nosił granatową ułańską kurtkę, czerwone rajtuzy oraz czapkę konduktora kolejowego. Malarz został pochowany na cmentarzu w Żelechowie.

Józef Chełmoński

8. KURPIE, CZARNY PIES I ŁAWECZKA ZAKOCHANYCH

W puszczach mazowieckich: Zielonej i Białej mieszkali kiedyś Kurpie. Nazwano ich tak od chodaków z lipowego łyka – kurpi, które nosili, choć oni sami zwali się Puszczykami. Dawno temu zajmowali się łowieniem ryb, polowaniem i zakładaniem barci na miód. Ich chaty, stroje, wyroby z bursztynu oraz wycinanki i kwiaty z bibułki, a nawet „Wesele kurpiowskie" można oglądać w skansenach i muzeach w Kadzidle, Myszyńcu, Nowogrodzie czy Ostrołęce. We wsi Łyse natomiast w Niedzielę Palmową warto zobaczyć największe palmy, mające po 8 metrów długości.

Największy na Mazowszu zamek w Ciechanowie ma dwie okrągłe baszty: Arsenał i Basztę Więzienną, oraz grube mury. Legenda głosi, że w jego podziemiach książęta mazowieccy ukryli skarb. Strzeże go wielkie czarne psisko. Nocami pies wyje i szczeka tak przerażająco, że strach się zbliżać do zamku. Podobno pod postacią brytana ukrywa się rycerz Sulimir, który prowadził występne życie i w ten sposób został ukarany. Zaklęcie można zdjąć w prosty

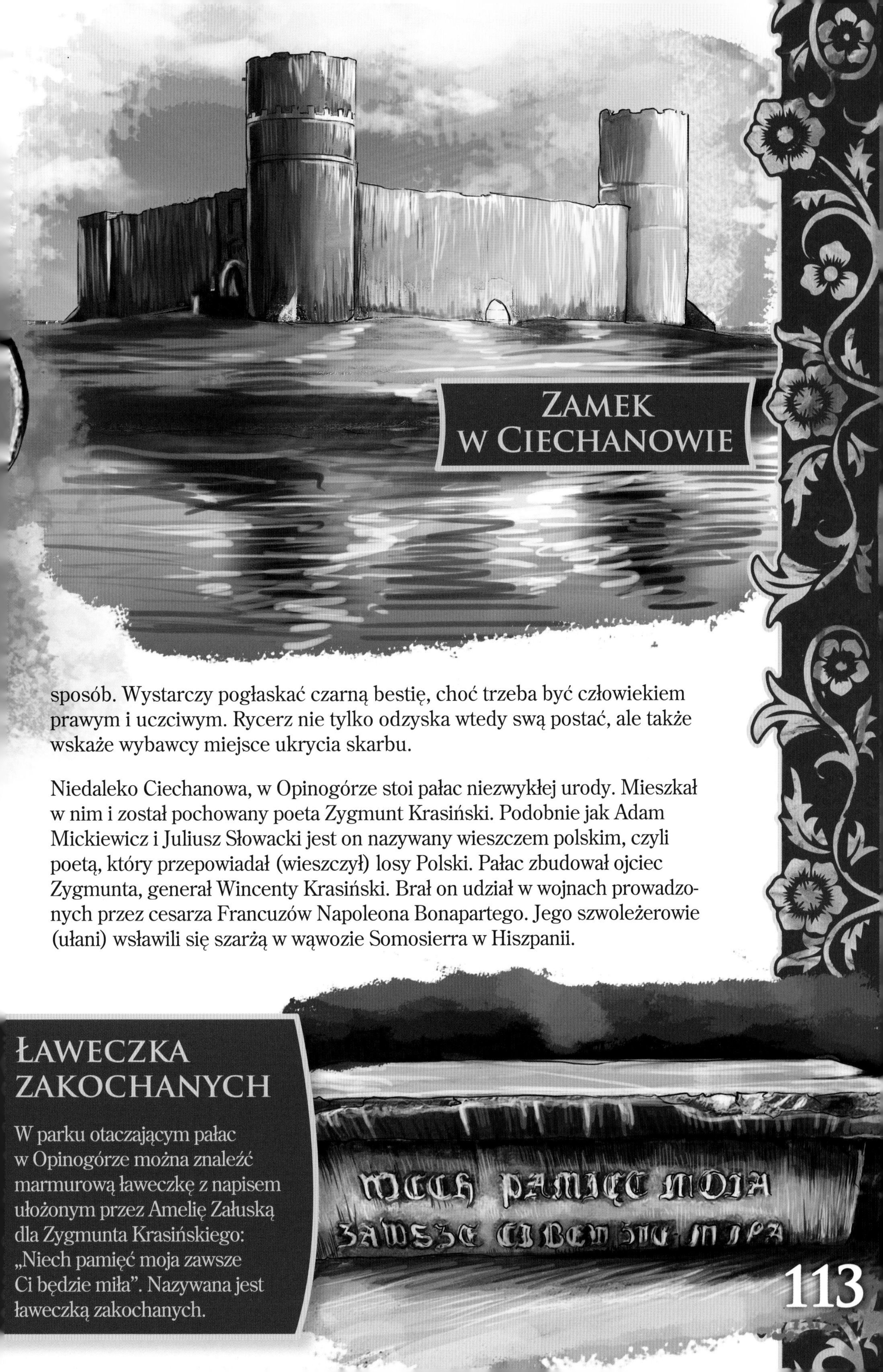

Zamek w Ciechanowie

sposób. Wystarczy pogłaskać czarną bestię, choć trzeba być człowiekiem prawym i uczciwym. Rycerz nie tylko odzyska wtedy swą postać, ale także wskaże wybawcy miejsce ukrycia skarbu.

Niedaleko Ciechanowa, w Opinogórze stoi pałac niezwykłej urody. Mieszkał w nim i został pochowany poeta Zygmunt Krasiński. Podobnie jak Adam Mickiewicz i Juliusz Słowacki jest on nazywany wieszczem polskim, czyli poetą, który przepowiadał (wieszczył) losy Polski. Pałac zbudował ojciec Zygmunta, generał Wincenty Krasiński. Brał on udział w wojnach prowadzonych przez cesarza Francuzów Napoleona Bonapartego. Jego szwoleżerowie (ułani) wsławili się szarżą w wąwozie Somosierra w Hiszpanii.

Ławeczka zakochanych

W parku otaczającym pałac w Opinogórze można znaleźć marmurową ławeczkę z napisem ułożonym przez Amelię Załuską dla Zygmunta Krasińskiego: „Niech pamięć moja zawsze Ci będzie miła". Nazywana jest ławeczką zakochanych.

9. W ziemi Radomskiej

Dom Gąski i Dom Esterki

Nowy Radom został założony przez króla Kazimierza Wielkiego. Władca ten zbudował mury obronne, zamek królewski, ratusz i kościół św. Jana Chrzciciela. Pozostały tu też zabytkowe kamieniczki z najstarszym Domem Gąski i Domem Esterki. Niedaleko od Miasta Kazimierzowskiego znajduje się stary klasztor Bernardynów z kościołem św. Katarzyny. Można w nim oglądać rzeźbę przedstawiającą mękę Chrystusa wykonaną przez Wita Stwosza – twórcę słynnego ołtarza z kościoła Mariackiego w Krakowie. Nowa katedra Opieki Najświętszej Maryi Panny w Radomiu wyglądem przypomina właśnie krakowską bazylikę Mariacką.

W Muzeum Wsi Radomskiej odtworzono dawną wieś z wszystkimi charakterystycznymi zabudowaniami.

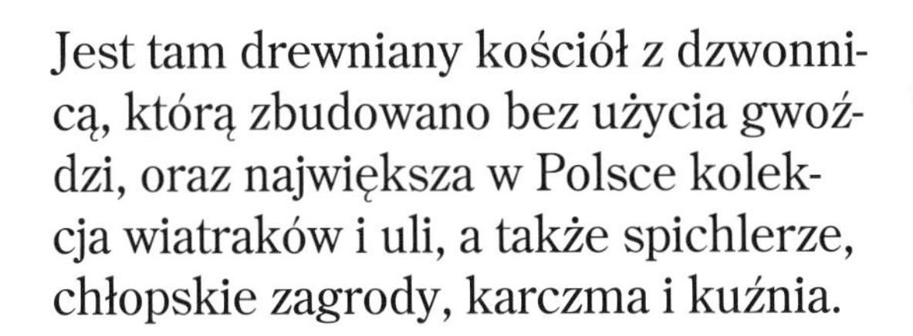

Jest tam drewniany kościół z dzwonnicą, którą zbudowano bez użycia gwoździ, oraz największa w Polsce kolekcja wiatraków i uli, a także spichlerze, chłopskie zagrody, karczma i kuźnia.

Niedaleko Radomia leży stare miasteczko Szydłowiec. Zbudowano w nim, na sztucznie usypanej wyspie, zamek, w którym dzisiaj urządzono jedyne w Polsce Muzeum Ludowych Instrumentów Muzycznych. Na rynku w Szydłowcu stoi renesansowy, liczący 400 lat ratusz. Przed nim zachował się miejski pręgierz, czyli słup, do którego przywiązywano przestępców, aby pokazać ich innym mieszkańcom, i przy którym wymierzano także karę, np. chłostę. Ten w Szydłowcu został ozdobiony maszkaronami – rzeźbami twarzy o dziwnych minach i fantazyjnych fryzurach.

Czarnolas to ulubione miejsce jednego z największych polskich poetów – Jana Kochanowskiego. W dworku, który nie dotrwał do naszych czasów, mieszkał przez ostatnie kilkanaście lat swojego życia. Tu dotknęła poetę tragedia, kiedy zmarła jego mała córeczka Urszulka. Napisał po jej śmierci bardzo wzruszające i smutne wiersze, pełne bólu i tęsknoty za ukochanym dzieckiem. Takie żałobne utwory nazywamy trenami.

W Czarnolasie Kochanowski lubił siadywać pod starą lipą, która zapraszała: „Gościu, siądź pod mym liściem, a odpoczni sobie". Dzisiaj w miejscu, gdzie kiedyś rosła, postawiono symboliczny grób Urszulki.

Pomnik Jana Kochanowskiego

Katedra Opieki NMP

FABRYKI

I ŁOWICKIE STROJE

1. Z ŁODZIĄ W HERBIE

Przez miasto Łódź przepływa kilkanaście rzeczek i strumieni. Stara legenda opowiada jak jedną z nich – Starą Strugą – płynął Janusz. W pewnym miejscu jego łódź utknęła i za nic nie mógł ruszyć dalej. Wyszedł więc na brzeg, na którym usłyszał głos puszczy zachęcający go do osiedlenia się w tym miejscu. Z czasem jego potomkowie dali początek Łodzi. Wiele lat później stała się wielkim miastem przemysłowym, przyciągającym do pracy tysiące ludzi. Budowano nowe fabryki, głównie włókiennicze. W Centralnym Muzeum Włókiennictwa w starej Białej Fabryce Ludwika Geyera możemy zobaczyć, jak kiedyś wyrabiano tkaniny. Poznamy dzieje Łodzi przyciągającej Niemców, Żydów, Polaków, Rosjan. Niektórzy stali się ludźmi bardzo bogatymi. Ten czas opisał polski pisarz, laureat literackiej Nagrody Nobla Władysław Reymont w książce *Ziemia obiecana*. Ci, którzy zgromadzili duże majątki, budowali okazałe kamienice, pałace.

ŁAWECZKA TUWIMA

Pomnik poety odsłonięto w 1999 roku.Według miejskiej legendy potarcie nosa Juliana Tuwima przynosi szczęście. Można też usiąść i „porozmawiać" z mistrzem.

POMNIK ARTURA RUBINSTEINA

Jeden z najpiękniejszych to pałac Izraela Poznańskiego. Możemy oglądać również jego starą, potężną ceglaną fabrykę. Wiele pałaców i kamienic stoi przy głównym trakcie Łodzi – ulicy Piotrkowskiej, nazwanej kiedyś „Biglem", a dzisiaj „Pietryną". Podczas spaceru Piotrkowską zobaczymy kilka rzeźb upamiętniających słynne postacie związane z Łodzią. Na swej ławeczce siedzi Julian Tuwim, autor *Lokomotywy* i wielu znanych wierszy dla dzieci, na fortepianie gra słynny pianista Artur Rubinstein, a na kufrze odpoczywa pisarz Władysław Reymont. Łódź była nie tylko miastem przemysłowym, ale miejscem wytwórni filmów. Tę historię poznamy w Muzeum Kinematografii. W jednym ze studiów filmowych powstały popularne bajki. Wędrując po Łodzi, spotkamy pomniki ich bohaterów, wśród nich: Misia Uszatka, pingwina Pik-Poka, Plastusia, wróbla Ćwirka, kotów Filemona i Bonifacego.

2. Szlakiem bitew i bohaterów

Częścią Łodzi jest Las Łagiewnicki, pozostałość dawnej Puszczy Łódzkiej. W Lesie Łagiewnickim swe źródła ma rzeka Bzura, która po wielu kilometrach wpada do Wisły. Nad Bzurą leży wiele miast: Zgierz, Łęczyca, Łowicz, Sochaczew, Wyszogród. Gdy we wrześniu 1939 roku Niemcy napadli na Polskę, rozpoczynając drugą wojnę światową, nad Bzurą rozegrała się największa bitwa polskiej wojny obronnej we wrześniu. Nazywana jest też Bitwą pod Kutnem. W mieście znajduje się muzeum jej poświęcone. Pamiątki z tej batalii – uczestniczyło w niej około pół miliona żołnierzy – można zobaczyć też w całej okolicy. Co roku odbywają się również rekonstrukcje Bitwy nad Bzurą.

We wrześniu 1939 roku Polska, zaatakowana z zachodu przez Niemcy i od wschodu przez Związek Sowiecki, nie obroniła swej niepodległości. Nie wszyscy żołnierze pogodzili się z okupacją. Major Henryk Dobrzański „Hubal" – pierwszy partyzant drugiej wojny światowej – początkowo walczył przeciwko Sowietom, a potem Niemcom. Powiedział, że munduru nie

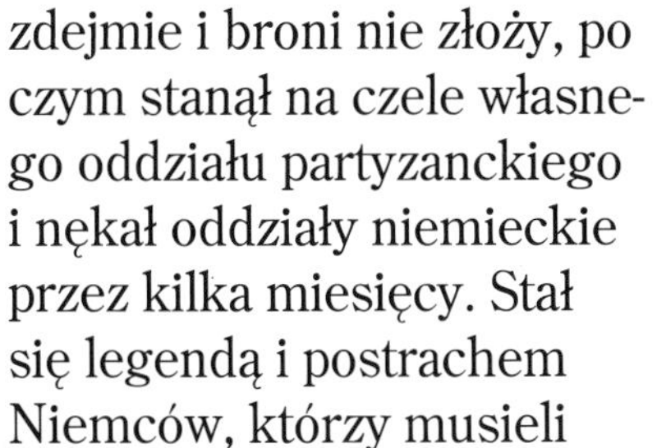

zdejmie i broni nie złoży, po czym stanął na czele własnego oddziału partyzanckiego i nękał oddziały niemieckie przez kilka miesięcy. Stał się legendą i postrachem Niemców, którzy musieli zgromadzić wielkie siły, żeby w końcu pokonać majora „Hubala". Zginął w walce pod wsią Anielin, leżącą przy drodze z Tomaszowa Mazowieckiego do Radomia. Dzisiaj miejsce jego śmierci upamiętnia na leśnej polanie „Szaniec Hubala".

Henryk Dobrzański już podczas pierwszej wojny światowej, gdy miał 17 lat, zgłosił się do Legionów Polskich Józefa Piłsudskiego. Walczył w 1918 roku z Ukraińcami o Lwów. To wtedy do historii przeszła bohaterska obrona miasta przez harcerzy, uczniów, studentów – zwanych Lwowskimi Orlętami. Następnie bił się w wojnie z bolszewkami. Wykazał się dużą odwagą i odznaczony został Orderem Virtuti Militari oraz cztery razy Krzyżem Walecznych. Gdy Polska odzyskała niepodległość, nadal służył w wojsku, w kawalerii. Jego pasją były zawody jeździeckie. Uczestniczył w olimpiadzie w Amsterdamie, wielokrotnie startował w międzynarodowych zawodach, odnosząc liczne zwycięstwa.

Major Henryk Dobrzański „Hubal"

3. Diabeł Boruta z Łęczycy

Łęczyca była jednym z najstarszych i najważniejszych grodów Polski za panowania Piastów. Kazimierz Wielki wzniósł tam nowy zamek, który z czasem popadł w ruinę. W jego podziemiach od wieków mieszka diabeł Boruta. Imię jego pochodzi od boru albo sosny, która właśnie borutą jest nazywana. Przybiera on różne postacie, ale najczęściej występuje jako postawny szlachcic z czarnymi wąsiskami i czarnymi oczami, ubrany w długi kontusz (płaszcz z rozciętymi rękawami) zasłaniający mu ogon, oraz w czapkę, pod którą chowa rogi. Jest bardzo przebiegły, chytry i nadludzko silny. Gdy krąży nad łęczyckimi łąkami i mokradłami, zmienia się w ptaka z ogromnymi skrzydłami – Błotnika. W wodach Bzury jest Topielcem, czyli wielką rybą z rogami, po drogach galopuje jako czarny koń, a skarbów w lochach zamku pilnuje pod postacią sowy.

Znudziło się raz Borucie siedzieć w lochu, bo i wina mu brakło, gdyż wszystkie beczki opróżnił. Wybrał się więc diabeł na wesele do jednego szlachcica.

Diabeł Boruta

Wszedł do izby, gdzie się bawiono, już po północy i o picie się dopominał. Podany mu przez gospodarza puchar z winem odrzucił, a porwał całą beczkę i z niej wprost pił. Spodobało się to gościom, ale kiedy Boruta wypił wszystko, wziął do tańca pannę młodą, co zdenerwowało pana młodego, i nieznajomego wyzwał na pojedynek. Przed domem doszło do walki na szable, w której diabeł został ranny i stracił dwa palce. W tym momencie kur zapiał, a czort zniknął, zostawiając zapach siarki i smoły. Poznali wtedy wszyscy, że to Boruta. Ten zaś umknął do podziemi i postanowił więcej na świat nie wychodzić. Jeśli ktoś jednak skarbów by szukał, niechybnie zginie od diabelskich sztuczek.

W Tumie pod Łęczycą znajduje się mająca 900 lat kolegiata, czyli kościół. Na murze wieży można zauważyć dziwne ślady. Legenda głosi, że zostawiły je pazury Boruty, kiedy diabeł chciał przewrócić wieżę.

Stary zamek można oglądać także w Uniejowie. Należał on do arcybiskupów gnieźnieńskich. W miejscowości zachowała się także stara kolegiata wystawiona przez abp. Jarosława Bogorię Skotnickiego.

Kolegiata w Tumie

4. W KRAINIE ŁOWICKICH PASIAKÓW

Jedna z legend o założeniu Łowicza głosi, że pewnego razu książę zabłądził na łowach. Uratowały go pelikany, które go nakarmiły i wyprowadziły z puszczy do małej osady nad Bzurą. Jej mieszkańcy także okazali księciu wszelką pomoc, za co władca odwdzięczył się kufrem złota. Skarb ten pozwolił się wiosce rozwinąć, tak że stała się miastem. Od łowów nazwano ją Łowiczem, a pelikany umieszczono w herbie.

Okoliczne łowickie ziemie należały do arcybiskupów gnieźnieńskich i określano je jako Księstwo Łowickie. Dwunastu arcybiskupów spoczywa w Łowiczu w katedrze Wniebowzięcia Najświętszej Maryi Panny. Szczególnie wyróżnia się w niej nagrobek prymasa Jakuba Uchańskiego, który po śmierci ostatniego z Jagiellonów Zygmunta Augusta aż do wyboru jego następcy zastępował króla, czyli był interrexem (król po łacinie to rex).

NAGROBEK PRYMASA JAKUBA UCHAŃSKIEGO

W Łowiczu znajduje się jedyny w Polsce średniowieczny trójkątny rynek. Warto także zobaczyć stare kamienice, ratusz oraz klasztory Pijarów i Bernardynek. Warte szczególnej uwagi są łowickie stroje ludowe. Łowiczanki noszą przepiękne haftowane gorsety oraz suto marszczone spódnice w kolorowe pasy – pasiaki.

Pod Łowiczem księżna Helena Radziwiłłowa założyła niezwykły park – Arkadię, czyli krainę szczęśliwości. Najlepsi architekci zbudowali tam starożytną Świątynię Diany, Łuk Grecki, Akwedukt (wodociąg), Dom Murgrabiego i Domek Gotycki, nazywany Przybytkiem Nieszczęścia i Melancholii.

Niedaleko Arkadii znajduje się pałac w Nieborowie. Klatka schodowa rezydencji została wyłożona dziesięcioma tysiącami błękitnych holenderskich kafli, z których każdy ma inny wzór. W bibliotece pałacowej oprócz cennych ksiąg można zobaczyć dwa trzystuletnie globusy nieba i ziemi. W Czerwonym Salonie na ścianie wisi portret córki króla Augusta II Mocnego, Anny Orzelskiej, uważanej za najpiękniejszą kobietę tamtych czasów.

W Maurzycach na rzece Słudwi zbudowano pierwszy w Europie spawany most, zaprojektowany przez profesora Stefana Bryłę.

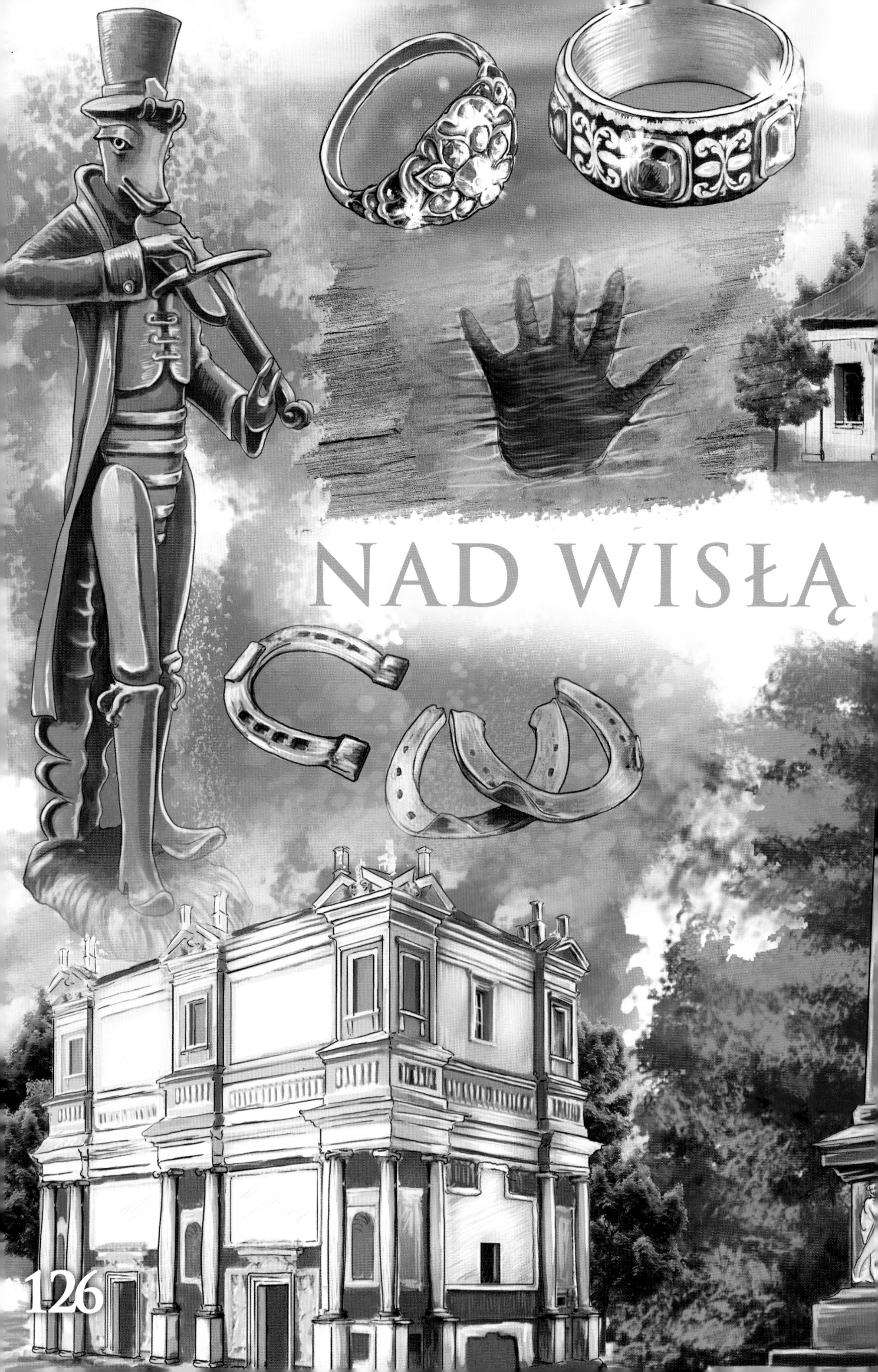

NAD WISŁĄ

I WIEPRZEM
Y MIE PAN SKIE AMEN-K

1. Na Lubelskim zamku i ratuszu

Pomnik i akt Unii Lubelskiej

Na zamku lubelskim 450 lat temu podpisano jeden z najważniejszych dokumentów w dziejach Polski – akt Unii Lubelskiej. Król Zygmunt August połączył ziemie Korony Polskiej i Litwy. W ten sposób powstała Rzeczpospolita Obojga Narodów. Na pamiątkę tego wydarzenia wystawiono pomnik Unii Lubelskiej. Kiedyś, gdy dawne wojny zniszczyły piękną rezydencję, urządzono tam więzienie. Teraz w zamku mieści się muzeum. Ze starych wnętrz zachowała się kaplica Trójcy Świętej z najpiękniejszymi w Polsce malowidłami bizantyjsko-ruskimi, czyli wykonanymi przez dawnych artystów ze Wschodu.

Czarcia łapa

W Lublinie działał kiedyś specjalny sąd – Trybunał Koronny. Miał on swoją siedzibę w Starym Ratuszu. Legenda głosi, że pewnego razu zgłosiła się do niego wdowa, która została pokrzywdzona przez bogatego szlachcica. Człowiek ten ograbił ją ze wszystkiego i spalił jej dom. Na rozprawę szlachcic przyprowadził przekupionych świadków, którzy zeznali, że to sama kobieta jest podpalaczką i chce wyłudzić odszkodowanie. Sąd uwierzył, niestety, w te kłamstwa. Wówczas wdowa krzyknęła, że sam diabeł wydałby sprawiedliwszy wyrok. Na te słowa zjawił się wywołany czart i rzeczywiście przeprowadził uczciwy proces. Szlachcic miał odbudować pokrzywdzonej dom. Na potwierdzenie tego wyroku diabeł wypalił odcisk swej łapy na stole. Czarcią łapę można do dziś oglądać w holu zamku lubelskiego.

Do miasta wchodzono kiedyś przez bramy w murach obronnych. Do dzisiaj zachowały się dwie: Brama Grodzka, dawniej połączona z zamkiem mostem zwodzonym, oraz Brama Krakowska, w której urządzono Muzeum Historii Miasta Lublina.

Warto także zobaczyć lubelską katedrę i stojącą obok niej Wieżę Trynitarską ze złotym kogutem na szczycie oraz dawne klasztory: Dominikanów, Karmelitanek Bosych, Misjonarzy i Karmelitów Trzewiczkowych.

Brama Grodzka

2. Koguty z Kazimierza Dolnego

Choć legenda mówi, że miasto Kazimierz Dolny założył król Kazimierz Wielki, to osada ta istniała co najmniej dwa wieki wcześniej. Najpierw nazywała się Wietrzną Górą, a gdy książę Kazimierz Sprawiedliwy przekazał ją siostrom norbertankom z Krakowa, na jego cześć została Kazimierzem.

Podobno w Kazimierzu zamieszkał kiedyś diabeł, bo przelatując nad Wietrzną Górą, spodobały mu się ognie płonące w czasie pogańskiego święta. Jeszcze bardziej upodobał sobie czart miejscowe koguty, na które zawzięcie polował, gdyż

Kazimierz Sprawiedliwy

tak mu smakowały. Po pewnym czasie w mieście został już tylko jeden, ostatni kur. Ten, nie chcąc być zjedzonym, ukrył się dobrze przed diabłem, który szalał, szukając po całym mieście sprytnego ptaka. Tymczasem zakonnicy poświęcili diablą norę w fosie i wszystko wokół. Gdy czart wrócił z pustym żołądkiem, nie mógł znieść poświęconego miejsca i od razu wyniósł się z Kazimierza. O świcie ocalony kogut obudził donośnym pianiem wszystkich mieszkańców. Na pamiątkę do dziś wypieka się koguty z drożdżowego ciasta.

Drożdżowy kogut

Dzięki swoim zabytkom i położeniu miasto jest wyjątkowo malownicze. Na Rynku wyłożonym kocimi łbami stoi kamienica Przybyłów, która zachwyca dekoracjami i jest dumą Kazimierza. Podobnie pięknie zdobione domy znajdują się przy ulicy Senatorskiej.

Na środku Rynku postawiono drewnianą studnię – to też jeden z symboli miasta.

W kościele świętych Jana Chrzciciela i Bartłomieja zachowały się najstarsze polskie organy. Z zamku zbudowanego przez Kazimierza Wielkiego pozostały ruiny. Podobno są one połączone podziemnym tunelem z zameczkiem w Bochotnicy, do którego król udawał się potajemnie na spotkania z piękną Esterką.

Miasto otacza park krajobrazowy, w którym znajdują się wąwozy lessowe i głębokie jary. Baśniowo wygląda na przykład wąwóz Korzeniowy Dół.

Z Kazimierza można się przeprawić promem na drugi brzeg Wisły do Janowca i zwiedzić ruiny jednego z największych zamków w Polsce. W parku przy zamku urządzono mały skansen. Ze wsi Moniaki przeniesiono do niego dwór szlachecki, stodołę, drewniany spichlerz.

Warto też zrobić dłuższą wycieczką do Kozłówki, gdzie znajduje się malowniczy park i pałac należący do rodziny Zamoyskich. Zachowały się w nim bogate wnętrza ze stylowymi meblami, rzeźbami, obrazami.

3. PUŁAWSKIE PAMIĄTKI, NAŁĘCZOWSKIE WODY I WOJCIECHOWSCY KOWALE

W leżących nad Wisłą Puławach 200 lat temu Izabela Czartoryska zgromadziła liczne pamiątki, dzieła sztuki i inne eksponaty. W ten sposób powstało pierwsze w Polsce muzeum. W wielkim pałacu, a także w specjalnie zbudowanych w parku pawilonach, takich jak Świątynia Sybilli i Domek Gotycki, Izabela wystawiała swoje kolekcje. Zbierała przede wszystkim pamiątki po władcach Polski, a także innych znanych osobach. Miała w swych zbiorach dwa miecze podarowane Władysławowi Jagielle przez Krzyżaków przed bitwą pod Grunwaldem, szable Stefana Batorego i Jana III Sobieskiego, zegarki, pierścienie, klejnoty, ubiory. Dziś wiele z tych pamiątek można oglądać w Muzeum Czartoryskich w Krakowie.

SZABLA STEFANA BATOREGO

Domek Loretański w Gołębiu

Niedaleko Puław, w Gołębiu znajduje się najstarszy w Polsce Domek Loretański, czyli kopia znajdującego się w Loreto we Włoszech domu, w którym zgodnie z tradycją mieszkała Matka Boża. Kaplica, obok której umieszczono domek, stoi na dawnym cmentarzu przy kościele świętych Katarzyny i Floriana, zbudowanym z cegieł. Jest on mały i skromny. Jednak mury zewnętrzne kaplicy są bogato dekorowane, między innymi ceramicznymi posągami proroków. Domek Loretański znajduje się także w Krakowie w kościele Kapucynów.

Nałęczów jest słynnym uzdrowiskiem, w którym bywali znani pisarze Henryk Sienkiewicz, Bolesław Prus czy Stefan Żeromski. Leczniczych wód kosztował tu także pianista i polityk Ignacy Jan Paderewski. Do zabytków należą drewniane budynki sanatoryjne: Stare Łazienki, domki Gotycki i Grecki. W dawnym pałacu urządzono Dom Zdrojowy z wielką salą balową na pierwszym piętrze.

W Wojciechowie warto zwiedzić jedyne w Polsce Muzeum Kowalstwa. Mieści się ono w mającej 500 lat Wieży Ariańskiej. Urządzono w niej kuźnię z paleniskiem, kowadłem, miechem i starymi narzędziami kowalskimi. Organizowane są tu konkursy kowali, w czasie których można zobaczyć, jak podkuwa się konie.

4. Zamość – miasto idealne

Bogaty i wpływowy kanclerz króla Stefana Batorego, Jan Zamoyski, wybudował idealne miasto. Od nazwiska swojego założyciela nazywa się Zamościem. W mieście znajdują się wszystkie potrzebne mieszkańcom budynki. Nie tylko kolorowe kamienice, ale także wspaniały ratusz z wielkimi schodami, kościoły, a nawet Akademia Zamojska, czyli dziś powiedzielibyśmy: wyższa uczelnia. Oczywiście kanclerz Zamoyski miał w swym mieście swój pałac. Ponadto Zamość był twierdzą otoczoną murami, gdyż jako miasto idealne musiał być bezpieczny. Do miasta wjeżdżano kiedyś przez Starą Bramę Lwowską. W przeszłości udało mu się odeprzeć wiele wrogich wojsk sprzed bram. Nie zdobyli miasta ani kozacy, ani Szwedzi. Ci ostatni spróbowali nawet podstępu. Widząc, że nie zdołają wejść do silnie bronionej twierdzy, wysłali posłów, którzy oznajmili, iż wojska ich odchodzą, ale na koniec chcieliby zjeść pożegnalną ucztę z obrońcami miasta. Jan Zamoyski rozeznał podstęp, lecz nie chciał się sprzeniewierzyć

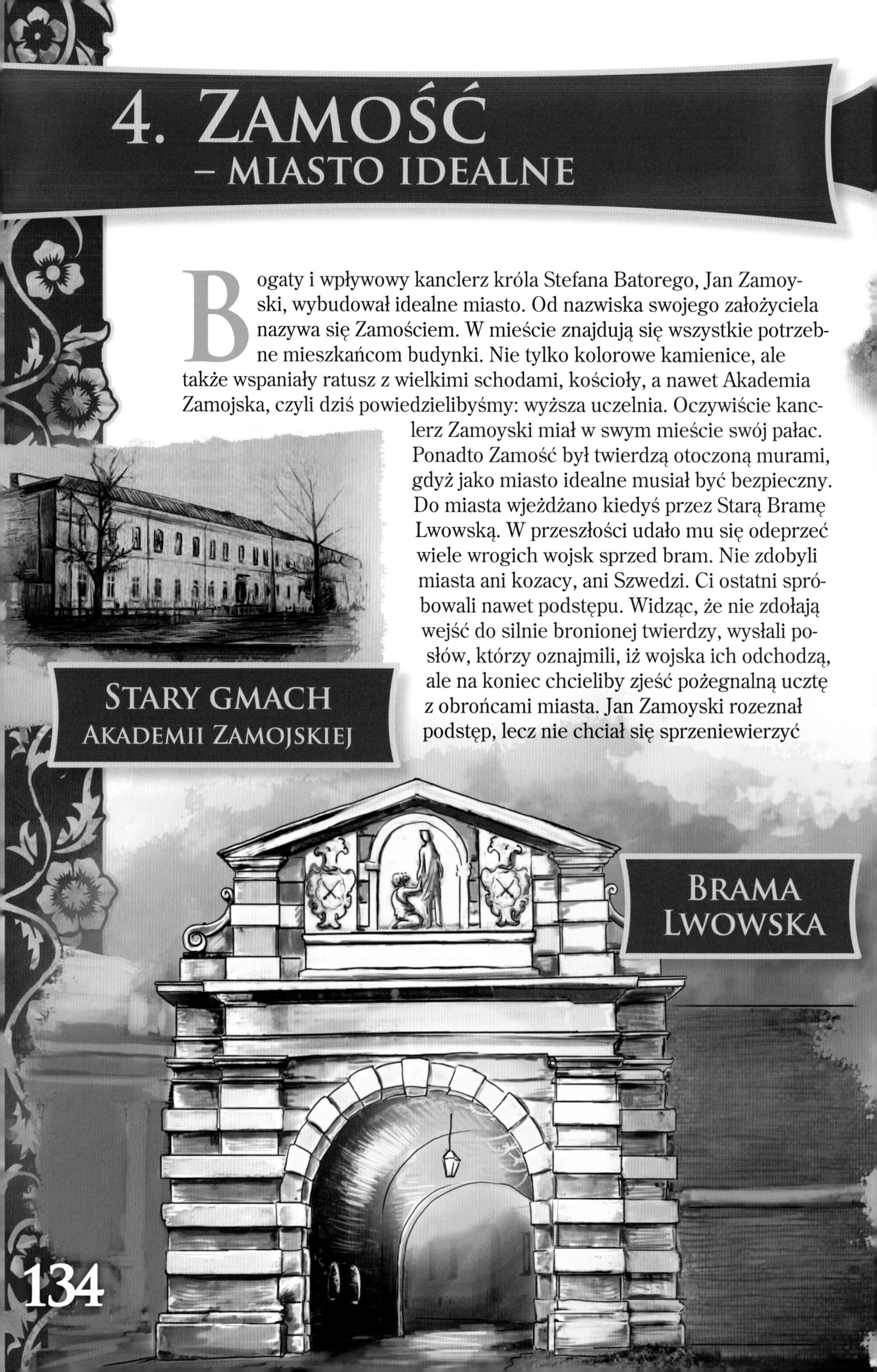

Stary gmach Akademii Zamojskiej

Brama Lwowska

staropolskiej gościnności. Rozkazał więc wystawić stoły na mury – dla załogi oraz pod mury – dla Szwedów. Podał wspaniałe potrawy i wina, ale żeby ukarać podstępnych wrogów, nie przystawił do stołów krzeseł, więc Szwedzi ucztowali na stojąco. Taki sposób częstowania gości zachował się do naszych czasów i nosi nazwę „szwedzki stół".

Jan Zamoyski

Jan Zamoyski, założyciel miasta idealnego, był bardzo wykształconym człowiekiem. Studiował w Paryżu, Rzymie i Padwie. Był także dzielnym wodzem, a przede wszystkim wybitnym politykiem, z którego zdaniem liczyli się królowie polscy.

KOLOROWE KAMIENICE

Zamojski Rynek Wielki zachwyca każdego, kto go zobaczy. Wszystkie kamieniczki stojące przy nim są kolorowe, mają jedno piętro, podcienia i są zwieńczone specjalną dekoracją, którą nazywamy attyką. Wielkie schody Ratusza prowadzą od razu na pierwsze piętro budynku.

W imponującej katedrze Zmartwychwstania Pańskiego i św. Tomasza Apostoła znajduje się wiele cennych zabytków. Świątynia podobna jest do kościołów budowanych we Włoszech, otoczona licznymi kaplicami. W jednej z nich, kaplicy Relikwii, zgromadzono aż 35 relikwiarzy. W kaplicy Zamoyskich można zobaczyć płytę nagrobną kanclerza Jana, założyciela miasta.

5. Na Roztoczu i Polesiu

„W Szczebrzeszynie chrząszcz brzmi w trzcinie i Szczebrzeszyn z tego słynie…" – każdy Polak zna ten wierszyk Jana Brzechwy, który jest nie do wypowiedzenia przez obcokrajowców. W Szczebrzeszynie zobaczymy nie tylko zabytki. Mieszkańcy postawili kilka pomników chrząszcza – jeden stoi nawet przed ratuszem. Miasto położone jest na Roztoczu, malowniczej krainie niewielkich wzgórz, lasów i łąk. W pobliżu Szczebrzeszyna leży Zwierzyniec, którego zalążkiem był pałacyk myśliwski zbudowany przez ród Zamoyskich. Z czasem powstało wokół niego miasteczko. Zamoyscy dbali już przed wiekami o leśną zwierzynę. Dlatego stworzyli tak zwany zwierzyniec – ogromny teren ogrodzony drewnianym płotem o długości 30 kilometrów. Wewnątrz spokojnie mogły żyć żubry, łosie, jelenie, dziki, wilki, rysie. Wokół rosły ogromne lasy, w tym potężna i zachowana do dzisiaj Puszcza Solska. Przepływa przez nią rzeka Tanew, wijąc się wśród lasów. Na jej dnie utworzyły się kamienne progi skalne zwane szumami.

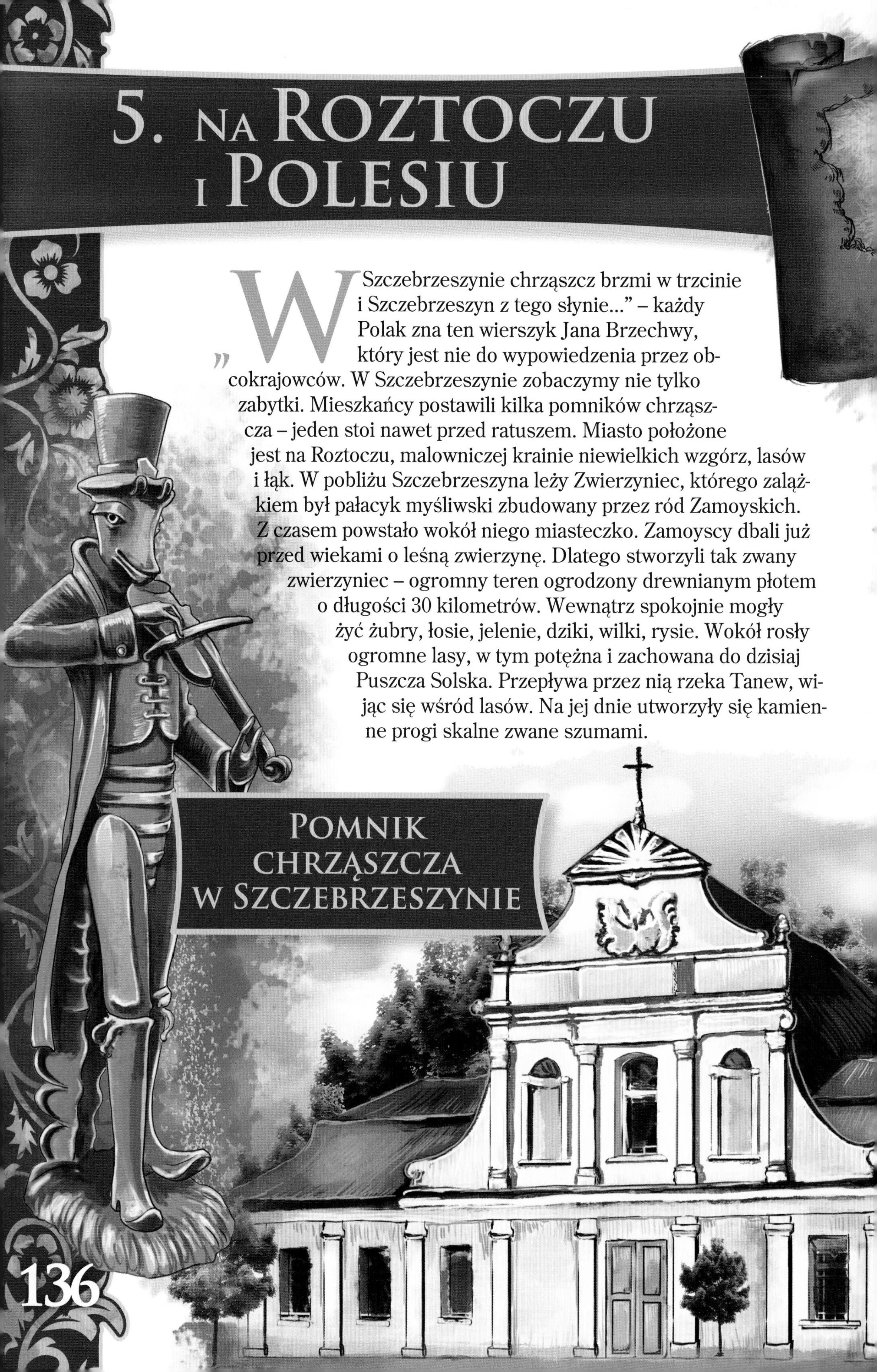

Pomnik chrząszcza w Szczebrzeszynie

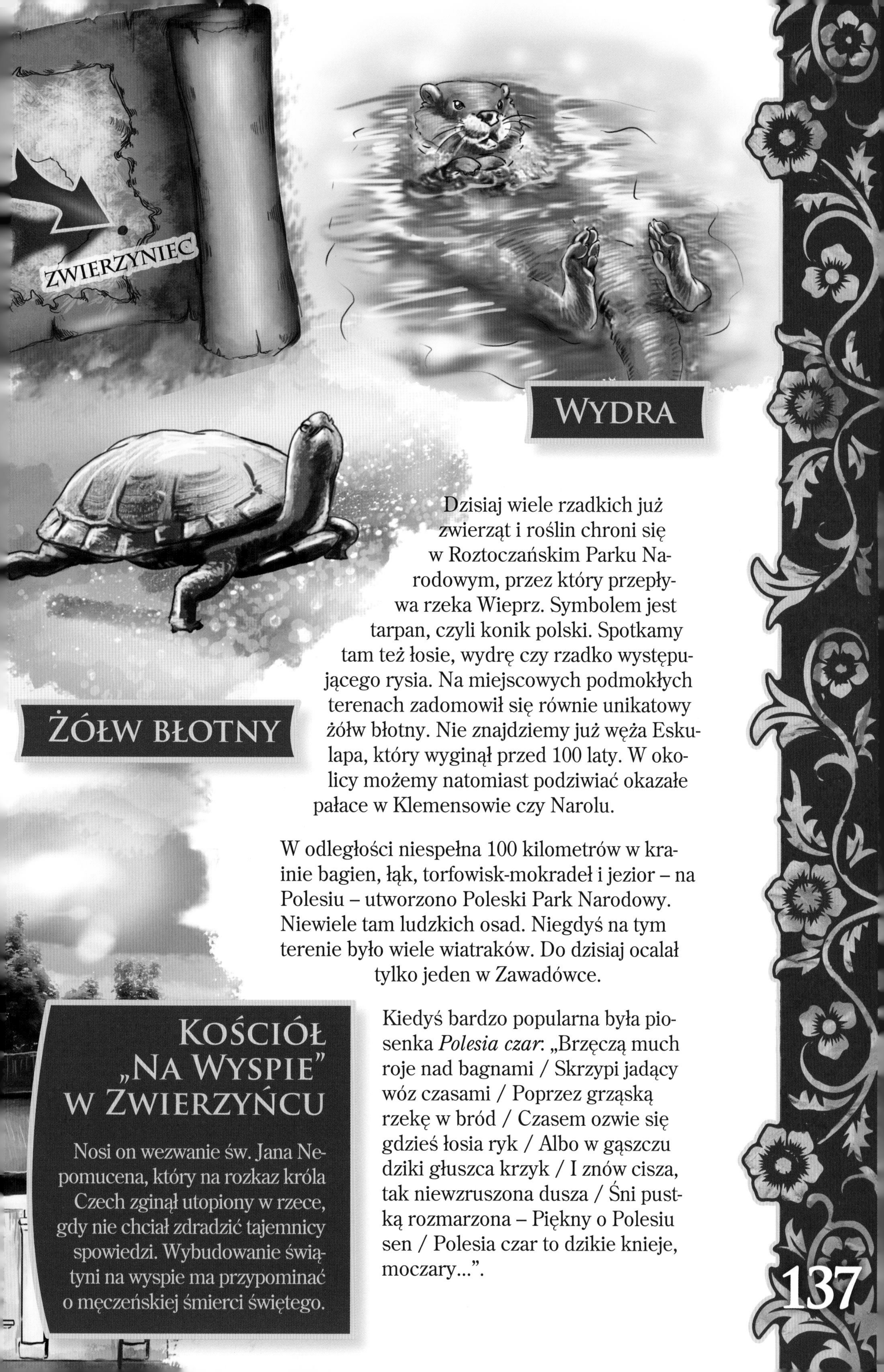

Dzisiaj wiele rzadkich już zwierząt i roślin chroni się w Roztoczańskim Parku Narodowym, przez który przepływa rzeka Wieprz. Symbolem jest tarpan, czyli konik polski. Spotkamy tam też łosie, wydrę czy rzadko występującego rysia. Na miejscowych podmokłych terenach zadomowił się równie unikatowy żółw błotny. Nie znajdziemy już węża Eskulapa, który wyginął przed 100 laty. W okolicy możemy natomiast podziwiać okazałe pałace w Klemensowie czy Narolu.

W odległości niespełna 100 kilometrów w krainie bagien, łąk, torfowisk-mokradeł i jezior – na Polesiu – utworzono Poleski Park Narodowy. Niewiele tam ludzkich osad. Niegdyś na tym terenie było wiele wiatraków. Do dzisiaj ocalał tylko jeden w Zawadówce.

Kościół „Na Wyspie” w Zwierzyńcu

Nosi on wezwanie św. Jana Nepomucena, który na rozkaz króla Czech zginął utopiony w rzece, gdy nie chciał zdradzić tajemnicy spowiedzi. Wybudowanie świątyni na wyspie ma przypominać o męczeńskiej śmierci świętego.

Kiedyś bardzo popularna była piosenka *Polesia czar*: „Brzęczą much roje nad bagnami / Skrzypi jadący wóz czasami / Poprzez grząską rzekę w bród / Czasem ozwie się gdzieś łosia ryk / Albo w gąszczu dziki głuszca krzyk / I znów cisza, tak niewzruszona dusza / Śni pustką rozmarzona – Piękny o Polesiu sen / Polesia czar to dzikie knieje, moczary...”.

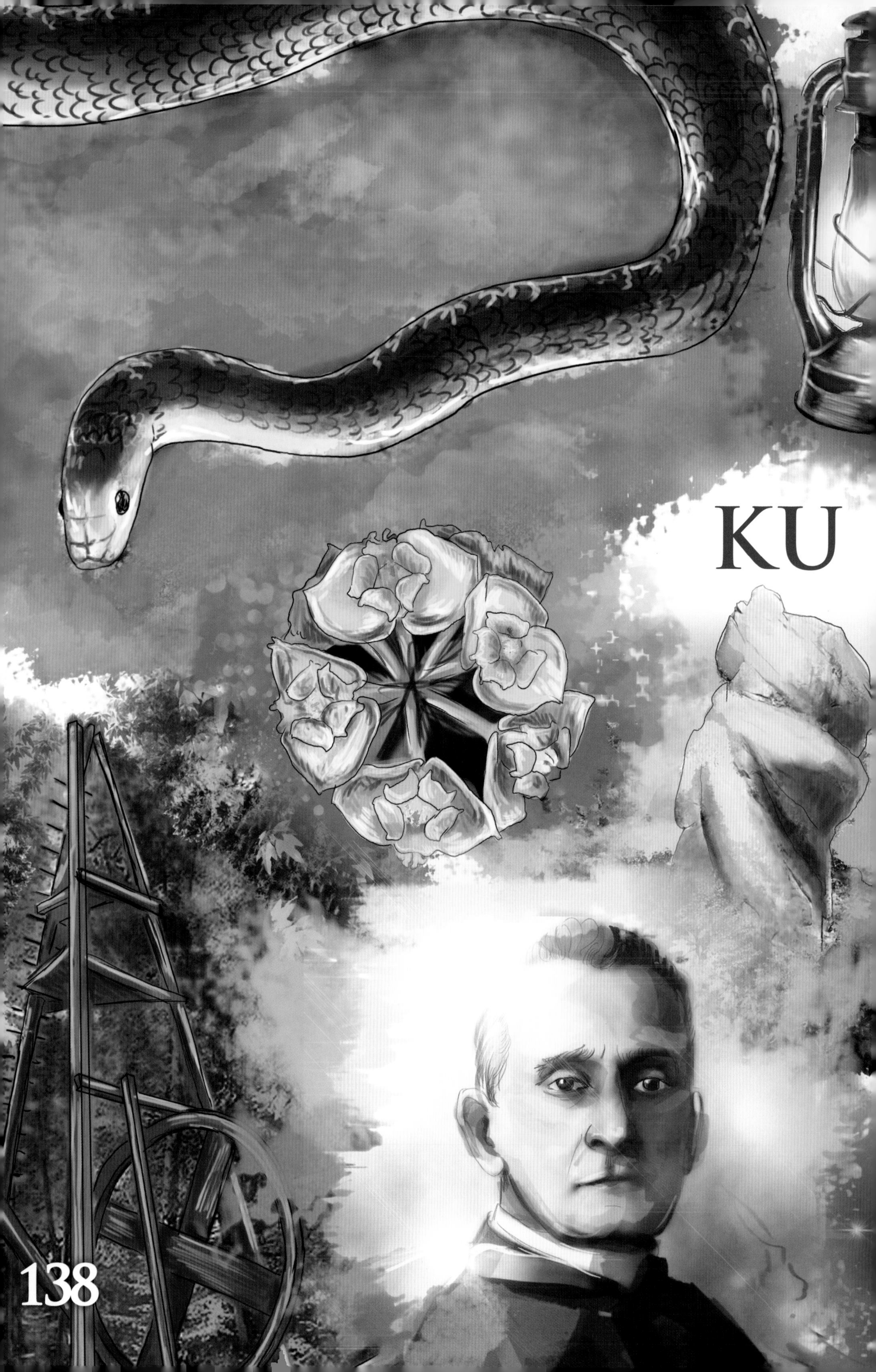
KU

LIBERA REGIA CIVITAS
BIESZCZADZKIM
SZCZYTOM
RATUJĄC ŻYCIE INNYCH
ZŁOŻYLI W OFIERZE WŁASNE
JÓZEF ULMA, JEGO ŻONA WIKTORIA
ORAZ ICH DZIECI
STASIA, BASIA, WŁODZIU, FRANUŚ,
ANTOŚ, MARYSIA, NIENARODZONE

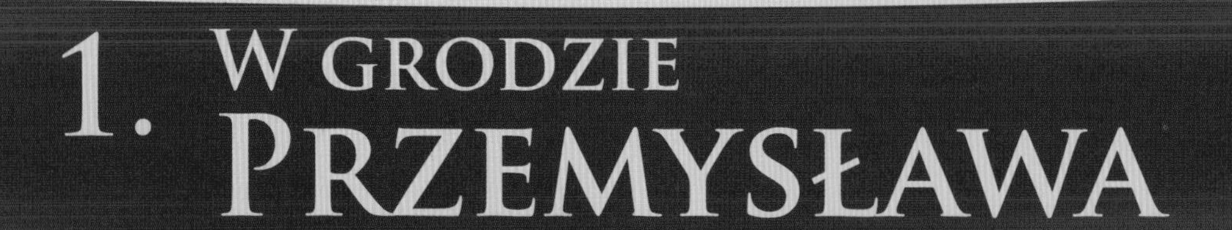

1. W grodzie Przemysława

Dawni kronikarze wspominali o Przemyślu już 1000 lat temu. Gród założył Przemysław, legendarny władca plemienia Lędzian, które zamieszkiwało żyzne ziemie nad Sanem. Położony na skrzyżowaniu ważnych szlaków handlowych Przemyśl był zdobywany przez różne wojska i przechodził z rąk do rąk. Ostatecznie do Polski przyłączył go król Kazimierz Wielki, który rozkazał wybudować na wzgórzu nad miastem murowany zamek. Kronikarz Jan Długosz pisał o Przemyślu, że „było to miasto podówczas potężne, wielką liczbą obywateli miejscowych i przybyłych osiadłe i w wszelką broń zaopatrzone, obronne rowy głębokimi i okopami znacznej wysokości, tudzież rzeką Sanem, płynącą od północnej strony miasta".

Najlepszy widok na miasto rozciąga się z kopca tatarskiego. Według legendy jest to kurhan, czyli grób chana (władcy) tatarskiego, który zginął w czasie najazdu na ziemię przemyską. Inne podanie głosi, że spoczywa w nim założyciel miasta Przemysł. Nie potwierdzają jednak tych wersji

Kopiec tatarski

badania archeologiczne. Kiedyś na kopcu stała kapliczka św. Leonarda i nawet był przy niej mały cmentarz.

W Przemyślu można podziwiać mającą przeszło pół tysiąca lat katedrę, stare kościoły Franciszkanów, Jezuitów, Karmelitów Bosych i Benedyktynów, zamek oraz wystawne kamienice w rynku. W dzielnicy Bakończyce stoi zbudowany na wzór włoski ciekawy pałac Lubomirskich.

Po rozbiorach Polski Przemyśl należał do Austriaków, którzy uczynili z miasta twierdzę. Powstały obronne pierścienie złożone z 44 fortów. W czasie pierwszej wojny światowej twierdza była dwukrotnie oblegana przez Rosjan. Dziś można zwiedzać na przykład Fort XIII „San Rideau" (Osłona Sanu) w Bolestraszycach. Pięć lat po zakończeniu wojny, kiedy Polacy likwidowali twierdzę, porządkując lub rozbierając forty, dokonano tam sensacyjnego odkrycia. Za zamkniętymi żelaznymi drzwiami w podziemiach Fortu XIII robotnicy znaleźli żywego człowieka. Wyglądał jak upiór czy przerażająca zjawa, wychudzony jak szkielet, w podartych brudnych łachmanach i zarośnięty. Był rosyjskim oficerem uwięzionym w forcie od ośmiu lat. Udało mu się przeżyć dzięki zapasom, ale przez kilka lat żył w zupełnych ciemnościach i wydawał się obłąkany. Odwieziony do szpitala, zmarł następnego dnia.

Pałac Lubomirskich

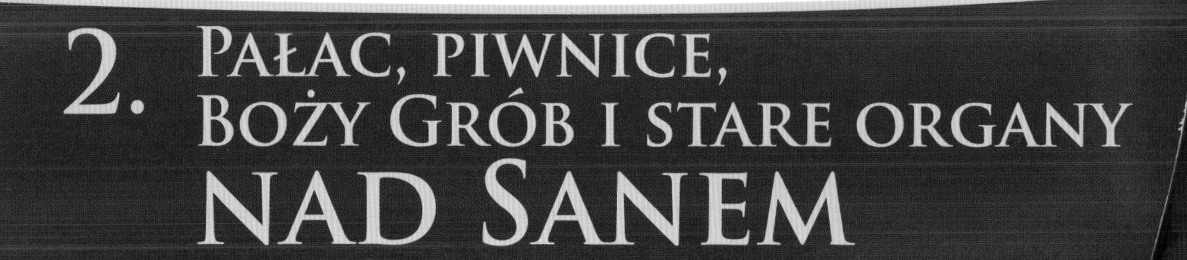

2. Pałac, piwnice, Boży Grób i stare organy nad Sanem

W dolinie rzeki San leży wiele bardzo ciekawych miast. Niedaleko Przemyśla, w Krasiczynie można zwiedzać okazałą rezydencję-fortecę. Wokół dziedzińca z krużgankami powstały skrzydła mieszkalne i cztery narożne baszty: Boska, w której urządzono kaplicę, Papieska, Królewska i Szlachecka. W Krasiczynie urodził się jeden z najwybitniejszych Polaków, kard. Adam Stefan Sapieha, arcybiskup krakowski – mąż wielkiej pobożności i niezłomnego charakteru.

Słynne sanktuarium maryjne w Kalwarii Pacławskiej składa się z 41 kaplic – stacji drogi krzyżowej, oraz kościoła i klasztoru Franciszkanów. Znajduje się w nim cudowny obraz Matki Bożej uratowany z twierdzy w Kamieńcu Podolskim, którą napadli Turcy. 15 sierpnia odbywa się tu uroczysty Wielki Odpust Kalwaryjski, któremu zgodnie z tradycją towarzyszy jarmark.

Kard. Adam Stefan Sapieha

Położony na dawnym szlaku handlowym ze Śląska na ziemie ruskie Jarosław zachował pod starym miastem rozległe, wielopiętrowe piwnice i korytarze, w których składowano przeróżne towary, bo w mieście odbywały się wielkie jarmarki. Niektóre piwnice można dzisiaj zwiedzać. Poza tym warto zobaczyć stare kościoły Jarosławia, cerkiew i obronny klasztor Benedyktynek na wzgórzu.

W niewielkim Przeworsku, położonym niedaleko Jarosławia, na wzniesieniu Kniazie Grodziszcze stoi dawny kościół Bożogrobców, czyli zakonników-rycerzy, których zadaniem była obrona Grobu Chrystusa w Ziemi Świętej. W przeworskiej kaplicy znajduje się wiernie odtworzony Grób Boży z Jerozolimy.

Nad Sanem leży również Leżajsk z bazyliką Zwiastowania Najświętszej Maryi Panny i cudownym obrazem Matki Bożej Leżajskiej – Pocieszenia. Można w nim także posłuchać niezwykłego brzmienia słynnych organów wykonanych ponad 200 lat temu. Do Leżajska pielgrzymują również Żydzi z całego świata, udając się do grobu cadyka Elimelecha.

Bazylika Zwiastowania NMP w Leżajsku

Rodzina Ulmów

Markowa to stara, ale dobrze i nowocześnie gospodarująca wieś. Dziś jest bardziej znana z powodu historii, jaka wydarzyła się w niej w czasie drugiej wojny światowej. Za ukrywanie Żydów Niemcy zamordowali tam rodzinę Ulmów: Józefa i Wiktorię oraz ich sześcioro małych dzieci. Bohaterstwo ratujących swych bliźnich upamiętnia pomnik oraz powstające muzeum.

3. Błękitna i Biała Dama oraz Diabeł Łańcucki

Początki pałacu w Łańcucie były bardzo skromne. Na Łysej Górze w mieście stanął najpierw mały zameczek. Dopiero po wielu latach rozbudował go marszałek Stanisław Lubomirski, a po jego śmierci wdowa po nim – księżna Izabela z Czartoryskich – uczyniła z pałacu tak okazałą rezydencję. Do dziś podziwiać można stare wnętrza z salonami i gabinetami, wśród nich ogromną salę balową, apartament turecki, sypialnię chińską, salon zimowy czy gabinet zwierciadlany. Na zewnątrz znajdują się ogrody, park oraz powozownia, w której zgromadzono ponad 100 pojazdów konnych, w tym powóz Fryderyka Chopina.

Pałacowe wnętrza nawiedzają trzy duchy. Jednym z nich jest dawny właściciel zamku, okrutnik i swawolnik starosta Stanisław Stadnicki, zwany już za życia Diabłem Łańcuckim, jako że wierzono, iż zaprzedał duszę czartowi. Był znany z wielu niegodnych czynów i nie dziwi fakt, że nie zaznał spokoju po śmierci. Jego zjawa budzi grozę i przerażenie. Natomiast dwa pozostałe duchy są raczej przyjazne i nie wywołują strachu. Do swych komnat wracają matka i córka: Izabela z Czartoryskich Lubomirska, zwana „Błękitną Markizą” od koloru sukni, w której zawsze chodzi, oraz Julia Potocka, za życia nieszczęśliwa w małżeństwie „Biała Dama”.

Lubomirscy z Łańcuta mieli także potężny zamek w Rzeszowie. W mieście tym podziwiać można ratusz na rynku oraz kościoły, obronny klasztor Bernardynów czy żydowskie synagogi pozostałe po licznie tu kiedyś mieszkającej ludności żydowskiej. Pod płytą rynku urządzono specjalną atrakcję – podziemną trasę prowadzącą przez ponad 30 starych piwnic.

4. NAFTOWYM SZLAKIEM

Polska przygoda z wydobywaniem ropy naftowej zaczęła się w Bóbrce. Już 500 lat temu kronikarz Jan Długosz wspominał o istnieniu w tej okolicy tak zwanego oleju skalnego, czyli ropy naftowej. Wydobywanie cennego surowca rozpoczęto wiele lat później, kiedy Ignacy Łukasiewicz, wynalazca lampy naftowej, uruchomił pierwszy na świecie szyb wydobywczy. Na terenie tej najstarszej kopalni ropy urządzono Muzeum Przemysłu Naftowego i Gazowniczego. Do dzisiaj działa tam pierwszy szyb „Franek". W muzeum można zobaczyć zachowane ponadstuletnie drewniane budynki kopalniane, urządzenia wiertnicze i jedną z pierwszych górskich stacji benzynowych z oryginalnymi dystrybutorami.

O historii polskiego przemysłu naftowego przypomina także Muzeum Podkarpackie w Krośnie. Mieści się ono w dawnym pałacu biskupim. Pokazano w nim największą w Europie kolekcję lamp naftowych, także wystawę przedstawiającą dzieje oświetlenia i hutnictwa szkła. Z tradycjami naftowymi związane są również Jasło i Gorlice.

Na Podkarpaciu znajdziemy poza tym wiele atrakcji przyrodniczych. W Czarnorzecko-Strzyżowskim Parku Krajobrazowym spotkamy niezwykłe twory, jak wysokie na 20 metrów skałki z piaskowca o najróżniejszych i najbardziej

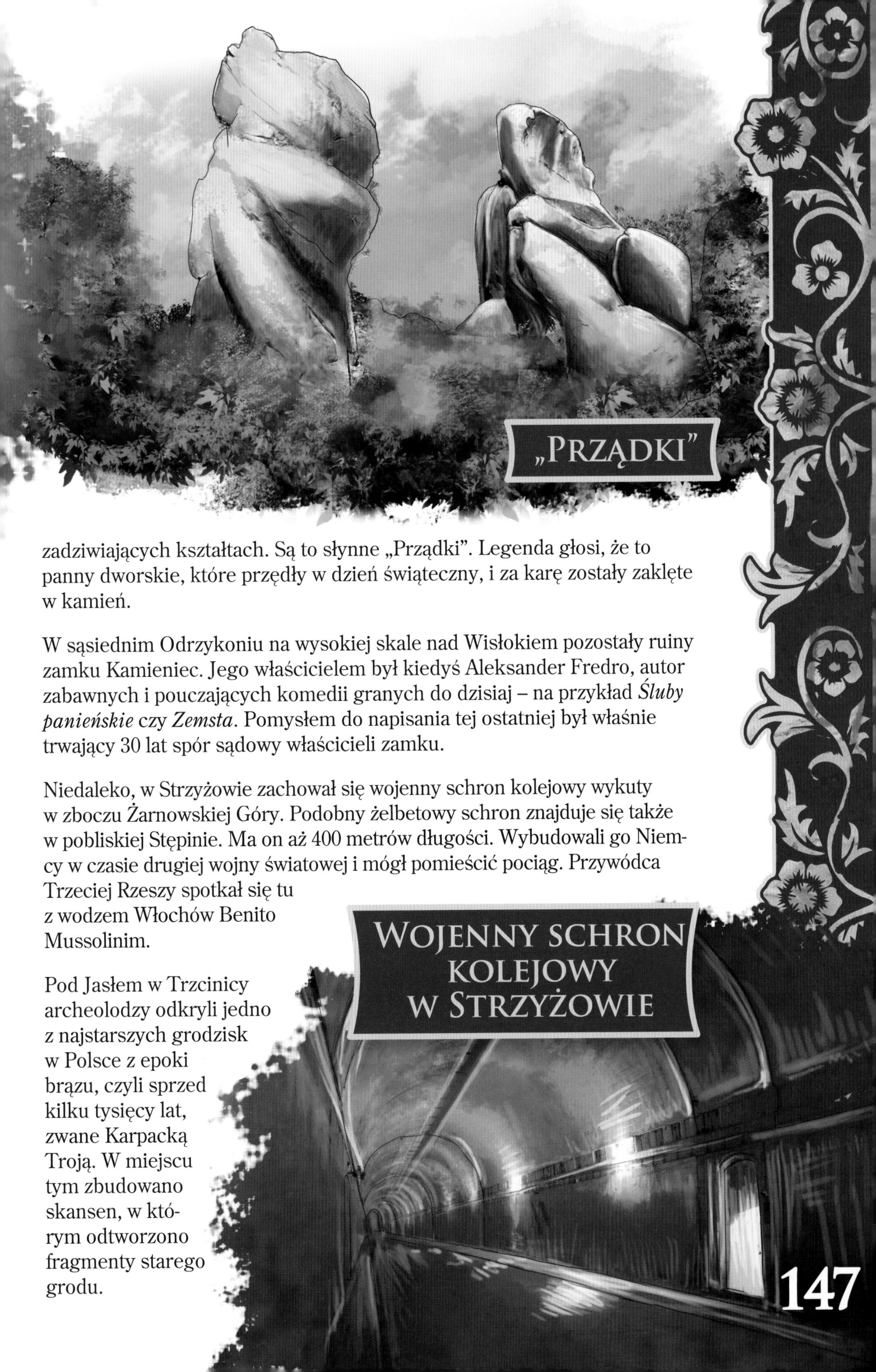

zadziwiających kształtach. Są to słynne „Prządki". Legenda głosi, że to panny dworskie, które przędły w dzień świąteczny, i za karę zostały zaklęte w kamień.

W sąsiednim Odrzykoniu na wysokiej skale nad Wisłokiem pozostały ruiny zamku Kamieniec. Jego właścicielem był kiedyś Aleksander Fredro, autor zabawnych i pouczających komedii granych do dzisiaj – na przykład *Śluby panieńskie* czy *Zemsta*. Pomysłem do napisania tej ostatniej był właśnie trwający 30 lat spór sądowy właścicieli zamku.

Niedaleko, w Strzyżowie zachował się wojenny schron kolejowy wykuty w zboczu Żarnowskiej Góry. Podobny żelbetowy schron znajduje się także w pobliskiej Stępinie. Ma on aż 400 metrów długości. Wybudowali go Niemcy w czasie drugiej wojny światowej i mógł pomieścić pociąg. Przywódca Trzeciej Rzeszy spotkał się tu z wodzem Włochów Benito Mussolinim.

Pod Jasłem w Trzcinicy archeolodzy odkryli jedno z najstarszych grodzisk w Polsce z epoki brązu, czyli sprzed kilku tysięcy lat, zwane Karpacką Troją. W miejscu tym zbudowano skansen, w którym odtworzono fragmenty starego grodu.

5. Na Bieszczadzkich połoninach

Wąż Eskulapa

Wysokie zbocza gór w Bieszczadach porośnięte są rozległymi łąkami, nazywanymi połoninami. Nadają one bieszczadzkim szczytom niepowtarzalnego uroku. Pasmo Bieszczad tworzą grzbiety górskie: Wysokiego Gronia, Wołosania i Chryszczatej, Durnej, Połoniny Wetlińskiej, Połoniny Caryńskiej, Otrytu. Najwyższym szczytem jest Tarnica – 1346 metrów nad poziomem morza. W najwyższych partiach gór utworzono Bieszczadzki Park Narodowy. Żyją w nim niedźwiedzie, żubry, jelenie, wilki, rysie i żbiki oraz ptaki: sowa uralska, płochacz halny czy orzeł przedni. Występuje tam także największy w Europie Środkowej niejadowity wąż Eskulapa. Długość jego ciała może przekraczać dwa metry. Jest oliwkowo brunatny z licznymi, małymi, jasnymi plamkami. Bieszczady są jedynym w Polsce miejscem, gdzie występuje ten bardzo rzadki gad. Szacuje się, że obecnie żyje tam około 100 osobników węża Eskulapa.

W Bieszczadach rosną lasy bukowe, bukowo-jodłowe i olszynowe. Występują tam rośliny, które można spotkać w Alpach i na Bałkanach. Należą do nich między innymi wilczomlecz karpacki, goździk skupiony, fiołek dacki czy wężymord górski.

Samochodem i rowerem można przejechać przez Bieszczady drogą wychodzącą z Leska i nazywaną „wielką pętlą bieszczadzką". Przechodzi ona przez Cisną, Ustrzyki Górne, Lutowiska i Uherce Mineralne.

Wilczomlecz karpacki

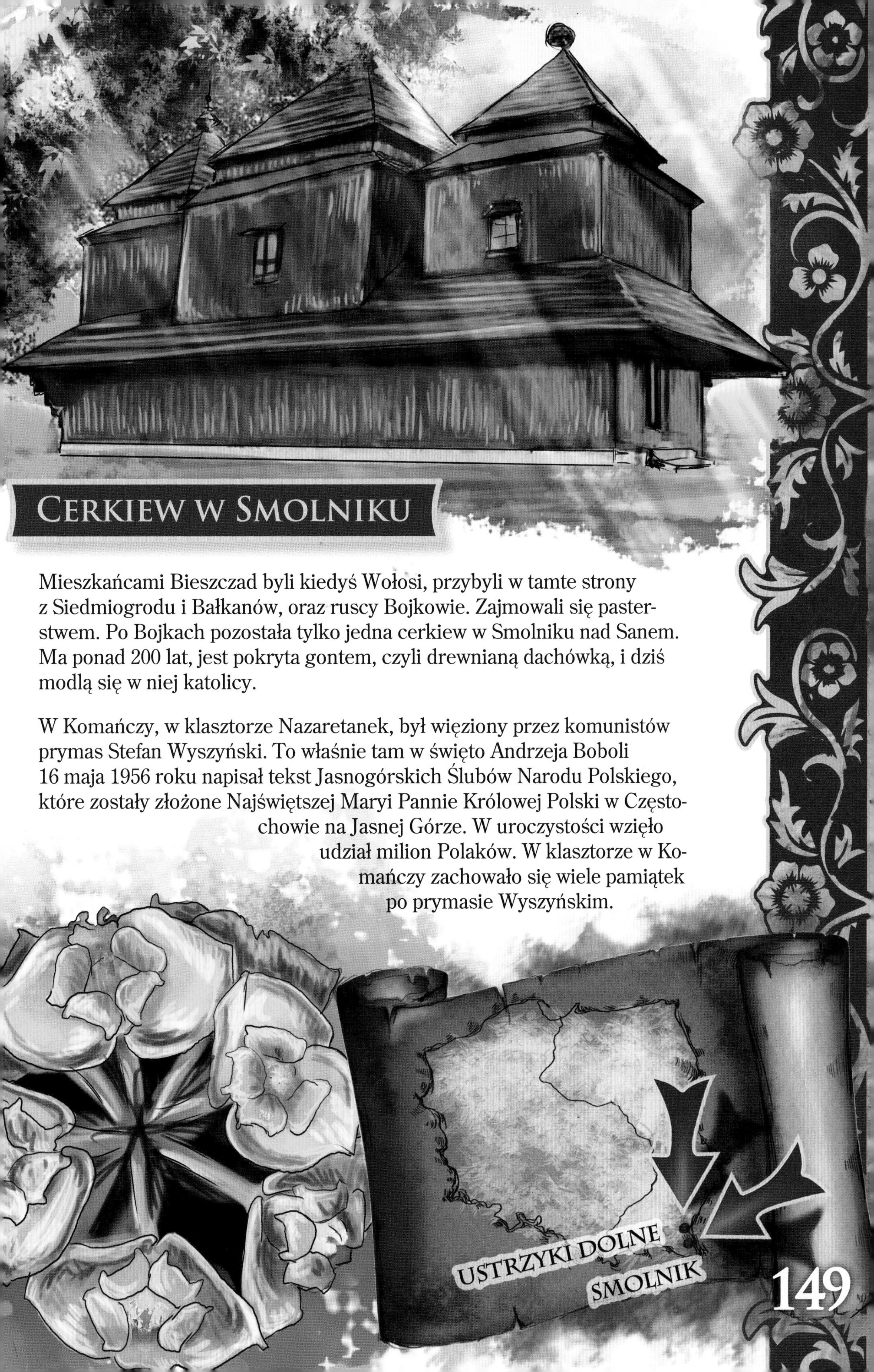

Cerkiew w Smolniku

Mieszkańcami Bieszczad byli kiedyś Wołosi, przybyli w tamte strony z Siedmiogrodu i Bałkanów, oraz ruscy Bojkowie. Zajmowali się pasterstwem. Po Bojkach pozostała tylko jedna cerkiew w Smolniku nad Sanem. Ma ponad 200 lat, jest pokryta gontem, czyli drewnianą dachówką, i dziś modlą się w niej katolicy.

W Komańczy, w klasztorze Nazaretanek, był więziony przez komunistów prymas Stefan Wyszyński. To właśnie tam w święto Andrzeja Boboli 16 maja 1956 roku napisał tekst Jasnogórskich Ślubów Narodu Polskiego, które zostały złożone Najświętszej Maryi Pannie Królowej Polski w Częstochowie na Jasnej Górze. W uroczystości wzięło udział milion Polaków. W klasztorze w Komańczy zachowało się wiele pamiątek po prymasie Wyszyńskim.

ŚWIĘTOKRZYSKIE

GÓRY I PUSZCZE

1. W Kielcach, u pana Sienkiewicza i pod „Bartkiem”

Kielce od wieków należały do biskupów krakowskich i to oni nadali im prawa miejskie. Oni też wystawili pałac, który jest dzisiaj najbardziej reprezentacyjnym zabytkiem miasta. Najlepszy malarz tamtych czasów Tomasz Dolabella namalował obrazy zdobiące wnętrza pałacu. Bogate i cenne wyposażenie ma także kielecka katedra i kościół św. Trójcy. Niedaleko od katedry znajduje się gimnazjum, w którym uczył się pisarz Stefan Żeromski. Z Kielcami związany był też Stanisław Staszic – pisarz, geograf i geolog, który założył tam Szkołę Akademiczno-Górniczą. W granicach miasta znajduje się pięć rezerwatów przyrody. W jednym z nich, Kadzielni, jest 26 grot i jaskiń.

W ziemi kieleckiej mieszkał autor *Trylogii*, pisarz Henryk Sienkiewicz. Polacy kupili i podarowali mu dworek myśliwski w Oblęgorku. Dzisiaj mieści się w nim muzeum pisarza. Można tam zobaczyć gabinet, w którym pracował, urządzony tak, jak za jego życia – wystrój wnętrza stanowią ulubione meble i pamiątki.

Ruiny zamku w Chęcinach są z daleka widoczne na wzgórzu. Kiedyś warownia należała do Władysława Łokietka. Odbywały się w niej zjazdy książąt i możnych panów. Mieszkały tam też wdowy królewskie. W mieście leżącym u stóp zamku pozyskiwano miedź, ołów, srebro oraz marmur chęciński, wydobywany do dnia dzisiejszego.

Henryk Sienkiewicz

KIELCE

Jaskinia Raj

Niedaleko Chęcin odkryto niezwykłą jaskinię, którą nazwano „Raj". Choć nie jest duża, słynie z licznych i wyjątkowo okazałych stalaktytów, stalagmitów, kolumn, żeber i mis naciekowych. Na jeden metr kwadratowy przypada ich tu nawet 200.

Niedaleko znajduje się skansen w Tokarni – Muzeum Wsi Kieleckiej. Są w nim wiejskie chałupy, robiący duże wrażenie spichlerz dworski i drewniany dwór szlachecki z Suchedniowa, potężna stodoła plebańska, wiatrak i studnia dworska.

W tych okolicach nie można pominąć Zagnańska, w którym rośnie najsławniejsze polskie drzewo, ogromny dąb „Bartek" – jedno z trzech najstarszych naszych drzew. Liczy sobie około 700 lat, choć wcześniej sądzono, że ma ich już ponad 1000. Jego pień, gruby na 14 metrów (w obwodzie) jest w środku spróchniały, ale „Bartek" jeszcze żyje i co roku wypuszcza liście. Pod dębem miał odpoczywać Bolesław Krzywousty. Był tu też Jan III Sobieski, kiedy wracał spod Wiednia – podobno włożył do dziupli szablę i gąsiorek wina. Obok rośnie pięćdziesięcioletni synek „Bartka".

Dąb „Bartek"

2. Na Świętym Krzyżu

Góry Świętokrzyskie nie są wysokie, ale mają bardzo strome stoki oraz głębokie doliny. Są bardzo stare. W najwyższym paśmie Łysogór króluje Łysica. Założono tam Świętokrzyski Park Narodowy. Piękno gór i Puszczy Jodłowej opisywał Stefan Żeromski. Pierwsze rezerwaty powstały już niedługo po odzyskaniu przez Polskę niepodległości. Do tych najstarszych należy rezerwat leśny na Chełmowej Górze. Najwięcej rośnie tu borów jodłowych, jodłowo-bukowych i sosnowych. Najciekawsze w parku są gołoborza, czyli rumowiska głazów kwarcowych zalegające pod szczytami. Największe występują na Łysicy i Łysej Górze, znanej z sabatów czarownic.

Książę Bolesław Krzywousty postanowił zakończyć pogańskie praktyki, które odbywały się na Łysej Górze, i wybudował na niej klasztor Benedyktynów pod wezwaniem Świętej Trójcy. Opactwo nazwano Świętym Krzyżem, bo zostały mu podarowane relikwie Krzyża, na którym umarł Chrystus. Złożył je syn króla Węgier św. Stefana, św. Emeryk, który dziękował w ten sposób za cudowne ocalenie. Kiedy zabłądził w puszczy, drogę wskazał mu święty jeleń.

Na Święty Krzyż wędrowało coraz więcej pielgrzymów. Był tu także król Władysław Jagiełło. W podziemiach kościoła spoczywają fundatorzy opactwa. Ich szczątki

Gołoborza

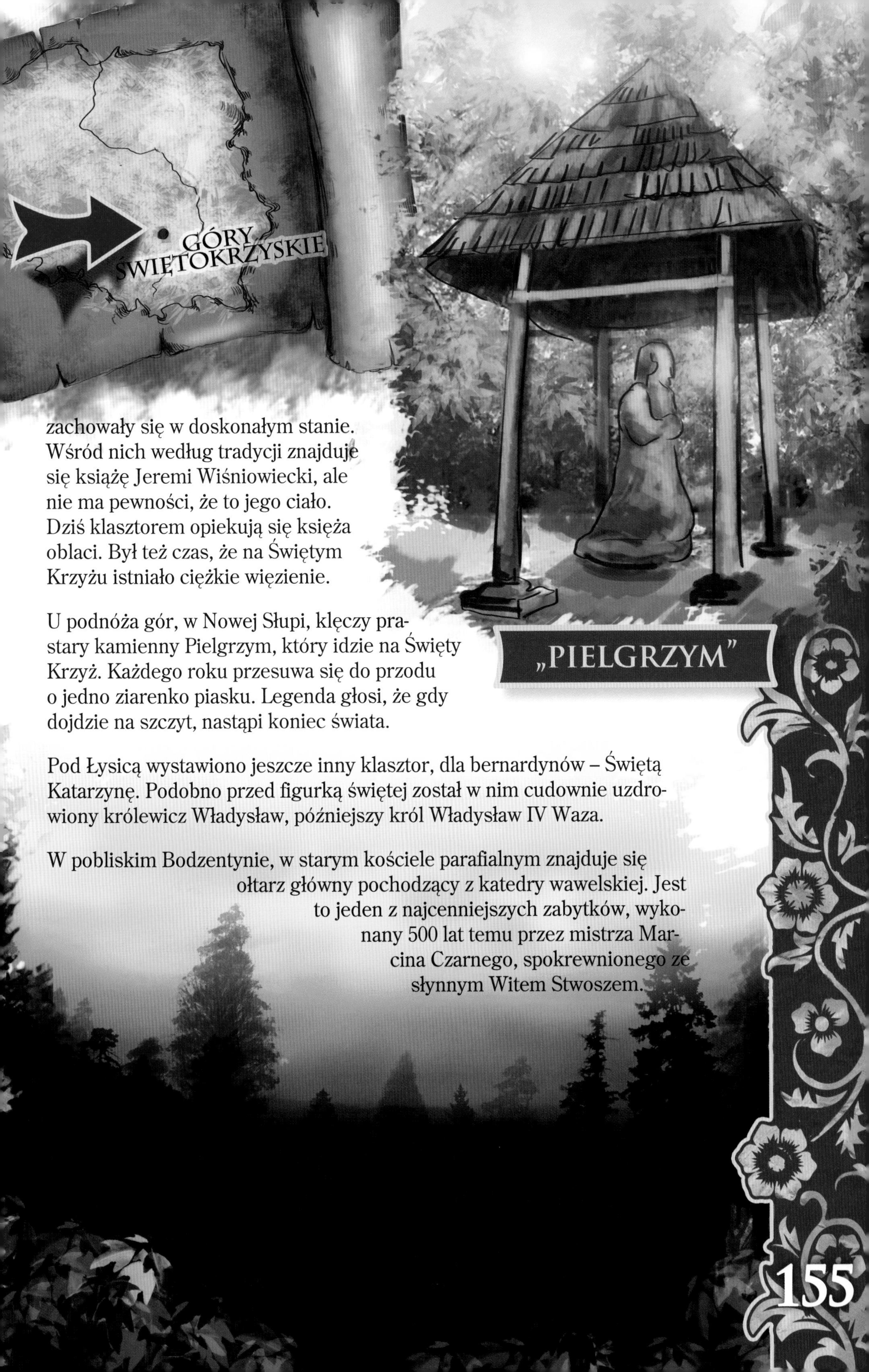

zachowały się w doskonałym stanie. Wśród nich według tradycji znajduje się książę Jeremi Wiśniowiecki, ale nie ma pewności, że to jego ciało. Dziś klasztorem opiekują się księża oblaci. Był też czas, że na Świętym Krzyżu istniało ciężkie więzienie.

U podnóża gór, w Nowej Słupi, klęczy prastary kamienny Pielgrzym, który idzie na Święty Krzyż. Każdego roku przesuwa się do przodu o jedno ziarenko piasku. Legenda głosi, że gdy dojdzie na szczyt, nastąpi koniec świata.

Pod Łysicą wystawiono jeszcze inny klasztor, dla bernardynów – Świętą Katarzynę. Podobno przed figurką świętej został w nim cudownie uzdrowiony królewicz Władysław, późniejszy król Władysław IV Waza.

W pobliskim Bodzentynie, w starym kościele parafialnym znajduje się ołtarz główny pochodzący z katedry wawelskiej. Jest to jeden z najcenniejszych zabytków, wykonany 500 lat temu przez mistrza Marcina Czarnego, spokrewnionego ze słynnym Witem Stwoszem.

3. „Polacy nie gęsi...”, Cystersi, zegary i Wiślanie

„A niechaj narodowie wżdy postronni znają, iż Polacy nie gęsi, iż swój język mają...” – pisał przed pięcioma stuleciami Mikołaj Rej. Był poetą, który jako pierwszy zaczął pisać swe utwory w polskim języku. Wcześniej używano tylko łaciny. Rej był właścicielem Nagłowic. Dzisiaj w miejscowym dworku urządzono muzeum poświęcone jego pamięci.

Mikołaj Rej

W leżącym nieopodal Jędrzejowie zbudowany został przed blisko dziewięcioma wiekami pierwszy w Polsce klasztor Cystersów. Cystersi przybyli z Francji. Byli zakonem, który przyczynił się do rozwoju kultury, rolnictwa, rzemiosła. W jędrzejowskim klasztorze ostatnie lata spędził bp Wincenty Kadłubek. Zrezygnował z funkcji biskupa i z Krakowa przyszedł pieszo do Jędrzejowa, gdzie był zwykłym zakonnikiem. Jest autorem słynnej *Kroniki polskiej.* Wprowadził też istniejący do dzisiaj w każdym kościele zwyczaj palenia wiecznej lampki przed Najświętszym Sakramentem. Z Jędrzejowa możemy wędrować polską częścią europejskiego Szlaku Cysterskiego do Sulejowa i Wąchocka, a następnie do Krakowa-Mogiły i zwiedzać te jedne z najstarszych w Polsce klasztorów.

Klasztor Cystersów w Jędrzejowie

Jędrzejów znany jest również z jednej z największych w Polsce kolekcji zegarów i przyrządów astronomicznych. Kolekcja zegarów słonecznych – blisko 400 – jest trzecią co do wielkości po Oxfordzie i Chicago. Mieści się ona w muzeum zapoczątkowanym przez Feliksa Przypkowskiego.

Niewielka Wiślica ma ponad 1000 lat i, jak niektórzy uważają, była stolicą państwa Wiślan. Tak nazywamy jedno z plemion, które żyło na tej ziemi jeszcze przed powstaniem Polski. W czasach pierwszego króla Bolesława Chrobrego wzniesiono nowy gród. W Wiślicy za króla Kazimierza Wielkiego ogłoszono pierwsze spisane prawo – statuty wiślickie. Z tego czasu zachował się też kościół. To w nim archeolodzy odkryli jeszcze starsze cenne zabytki. Wśród nich znajduje się płyta na posadzce z postaciami i napisem z czasów księcia Kazimierza Sprawiedliwego: „Ci pragną być deptani, aby kiedyś móc wznieść się do gwiazd". Możemy zobaczyć także dzwonnicę i dom ufundowany przez kronikarza Jana Długosza. Na niewielkim wzniesieniu – Psiej Górce – Gniewosz z Dalewic został skazany za obrazę królowej Jadwigi. Zgodnie z prawem musiał wejść pod ławę i przy świadkach powiedzieć „zełgałem jako pies" i trzy razy zaszczekać. Tak wtedy karano za oszczerstwa.

4. Zamek Krzyżtopór w Ujeździe

Krzysztof Ossoliński

Do najciekawszych zamków istniejących w Polsce należał Krzyżtopór w Ujeździe. Zbudował go Krzysztof Ossoliński, bogaty i dumny ze swego rodu wojewoda sandomierski. Budowla była naprawdę niezwykła. Miała tyle okien, ile dni w roku; tyle komnat, ile tygodni; tyle wielkich sal, ile miesięcy, i tyle baszt, ile pór roku. W jednej z sal sufitem było akwarium, w którym pływały egzotyczne ryby. Goście mogli je podziwiać, bawiąc się pod nimi. Nawet konie mieszkały w przepychu. Jadały bowiem z marmurowych żłobów i przeglądały się w kryształowych lustrach. W jednej ze stajni panują do dzisiaj tak dobre warunki akustyczne, że można by w niej urządzać koncerty muzyczne. Pałac nie tylko miał być wyjątkowy, ale i bezpieczny. Miał być twierdzą nie do zdobycia. Dlatego zbudowano nowoczesne bastiony i mury obronne oraz fosę. Wjazd do zamku prowadził przez kamienny pomost i zwodzony most, chroniony wysoką wieżą. Na bramie wyrzeźbiono wielki krzyż jako symbol wiary właściciela i topór – jego herb.

Do budowy pałacu użyto wielkiej ilości piasku, marmuru, alabastru i egzotycznego drewna. Podobno, aby uzyskać wodoodporną zaprawę, wlano do niej białka z miliona kurzych jaj. Opowiadano, że pałac miał podziemne połączenie z Ossolinem i gospodarze jeździli do siebie w odwiedziny. Tunel miał być wyłożony głowami cukru, żeby sanie łatwiej się ślizgały.

Niestety, forteca niedługo cieszyła swych właścicieli i ich gości. Jej świetność trwała zaledwie 11 lat. Krzyżtopór został ograbiony przeszło 350 lat temu przez Szwedów, którzy zajęli pałac podstępem bez jednego wystrzału. Po kolejnych kilkunastu latach, w czasie innych walk, rezydencja została zniszczona i do dzisiaj nie została odbudowana. Zachowały się tylko ruiny, które dają wyobrażenie o dawnym wyglądzie zamku.

5. W Wąchocku i na Wykusie

Na skraju Gór Świętokrzyskich i Puszczy Jodłowej, w Wąchocku, od 800 lat stoi najlepiej zachowane w Polsce opactwo cysterskie. W klasztorze przetrwała jedna z najstarszych sal ze sklepieniem wspartym na czterech kolumnach. Zakonnicy mieli prawo do wszystkich złóż mineralnych w okolicy Wąchocka oraz nad rzeką Kamienną i przyczynili się do rozwoju przemysłu, zakładając tu kopalnie i zakłady metalowe, a także bardzo dużo kuźni. Część pomieszczeń opactwa zajmuje Muzeum Cysterskie. Można w nim oglądać niezwykle cenne pamiątki z polskich powstań narodowych i walk w czasie wojen światowych.

Opactwo cysterskie w Wąchocku

Niedaleko Wąchocka, w Puszczy Jodłowej znajduje się Wykus – wzniesienie, które było miejscem obozowania polskich partyzantów. W czasie powstania styczniowego generał Marian Langiewicz założył tam powstańczy obóz. W lutym 1863 roku powstańcy stoczyli bitwę z wojskami rosyjskimi.

W Wąchocku stoi do dzisiaj dawny zajazd – dworek, w którym generał miał swoją powstańczą kwaterę.

Podczas drugiej wojny światowej na Wykusie kwaterował najpierw oddział majora Henryka Dobrzańskiego „Hubala", a potem partyzanci jednego z najsłynniejszych dowódców podziemnej Armii Krajowej, majora Jana Piwnika „Ponurego". Został on zrzucony do Polski ze spadochronem jako cichociemny, czyli żołnierz przeszkolony w Wielkiej Brytanii do walki w kraju. Po wojnie w miejscu partyzanckiej bazy postawiono kapliczkę z obrazem Matki Bożej Bolesnej, upamiętniającą tych, którzy zginęli w walce o wolną ojczyznę. Na jej ścianach umieszczono pseudonimy poległych podczas wojny żołnierzy, a na murze ją otaczającym – tabliczki z nazwiskami zmarłych żołnierzy zgrupowania „Ponurego".

MJR JAN PIWNIK
PS. „PONURY"

Co roku na Wykusie odbywają się uroczystości poświęcone pamięci poległych żołnierzy Armii Krajowej. Major Jan Piwnik „Ponury", choć zginął w walce z Sowietami na Nowogródczyźnie, po latach został pochowany w krużgankach opactwa cysterskiego w Wąchocku. Ostatnie słowa, jakie wypowiedział przed śmiercią, brzmiały: „Powiedz żonie i rodzicom, że ich bardzo kochałem i że umieram jako Polak... I pozdrówcie Góry Świętokrzyskie".

KAPLICZKA UPAMIĘTNIAJĄCA PARTYZANTÓW W WYKUSIE

6. Polskie Carcassonne i Szlak św. Jakuba

Szydłów ma bardzo dobrze zachowane mury obronne, którymi otoczył miasteczko 600 lat temu Kazimierz Wielki. Mają one 700 metrów długości, a chodnik dla strażników jest szeroki na ponad metr. Przetrwały także dwie bramy: Opatowska i Krakowska. Z tego powodu Szydłów nazywany jest „polskim Carcassonne", bo to francuskie miasto szczyci się idealnie zachowanymi murami obronnymi i z tego powodu jest bardzo znane. Z zamku szydłowskiego, również wzniesionego przez Kazimierza Wielkiego, zostały tylko ruiny. Poza murami stoi stary kościół Wszystkich Świętych, pod którym znajduje się Jaskinia Szydły, legendarnego strasznego zbója grasującego w okolicy, chowającego w grocie swe nieprzeliczone skarby. Od jego imienia podobno pochodzi nazwa miasteczka.

W Świętokrzyskiem warto również zobaczyć pałace w Kurozwękach czy Grabkach Dużych, gdzie rezydencja ma wyjątkowy, jedyny w swoim rodzaju kształt. Do wysokiej, głównej części pałacu przylegają cztery niskie pawilony. Plan budynku przypomina więc wiatrak ze skrzydłami.

Zamek w Baranowie Sandomierskim nazywany jest „małym Wawelem", a to ze względu na dziedziniec otoczony krużgankami – zupełnie podobny do wawelskiego, tylko mniejszy.

ZAMEK W SZYDŁOWIE

Dziedziniec zamku w Baranowie Sandomierskim

W Opatowie można podziwiać bardzo starą, monumentalną kolegiatę św. Marcina, w której znajduje się kamienny nagrobek możnowładcy Krzysztofa Szydłowieckiego oraz pierwszy w północnej Europie nagrobek dziecka – jednego z synów Szydłowieckiego. Pod rynkiem i stojącymi przy nim kamieniczkami ciągną się trzypoziomowe piwnice udostępnione do zwiedzania.

Niedaleki Klimontów, choć jest wsią, może się poszczycić wyjątkowo cennymi zabytkami. Widok w małej miejscowości dwóch ogromnych kościołów robi niezwykłe wrażenie. Kolegiatę św. Józefa, ufundowaną przez Jerzego Ossolińskiego, zaprojektował słynny architekt Wawrzyniec Senes, który wybudował także zamek Krzyżtopór w Ujeździe. Wnętrze kościoła nakrytego wielką kopułą ma kształt elipsy. Drugi kościół – św. Jacka – z klasztorem Dominikanów również wystawili Ossolińscy. Przez Klimontów przechodzi Szlak św. Jakuba poprowadzony w Europie do grobu świętego w Santiago de Compostela w Hiszpanii.

Szlak św. Jakuba

7. SANDOMIERZ – ULUBIONE MIASTO ŚW. JADWIGI KRÓLOWEJ

Sandomierz, położony na wysokiej wiślanej skarpie, jest jednym z najstarszych miast Polski. Opowiada o nim wiele legend. Kiedyś gród był oblegany przez Tatarów i choć mieszkańcy bronili się dzielnie, gdy zabrakło wody, stracili nadzieję, że powstrzymają wrogów. Wtedy do tatarskiego obozu udała się Halina Krępianka i zaproponowała nieprzyjaciołom, że przeprowadzi ich podziemnymi lochami prosto na rynek miasta. Był to jednak podstęp. Kiedy Tatarzy podążyli za Krępianką do lochów, załoga miasta zasypała tajne korytarze, grzebiąc w nich wrogie wojska i niestety dzielną Halinę, która poświęciła swoje życie, żeby uratować innych.

Po najazdach tatarskich Sandomierz został otoczony obronnymi murami, a dzięki położeniu na skrzyżowaniu handlowych szlaków szybko się rozwijał i bogacił. Ze średniowiecznych murów dobrze zachowała się Brama Opatowska.

W mieście lubiła bywać królowa Jadwiga. Upodobała sobie szczególnie lessowy wąwóz, dziś nazwany jej imieniem. Pewnego razu w zimie, gdy wracała z Sandomierza do Krakowa, królewskie sanie zakopały się w śniegowej zaspie. W potrzebie pomogli wawelskiej pani mieszkańcy pobliskiej wioski, u których też została na noc.

Rękawiczki królowej Jadwigi

W dowód wdzięczności królowa zostawiła im swoje białe rękawiczki. Do dzisiaj są one przechowywane w Muzeum Diecezjalnym w Domu Długosza w Sandomierzu, znajdującym się obok katedry Narodzenia Najświętszej Maryi Panny, której fundatorem był Kazimierz Wielki.

Jadwiga lubiła także gościć u dominikanów i modlić się w ich kościele. Ale z dominikańskiego klasztoru pozostała tylko furta w kształcie ucha igielnego. Natomiast dawny ich kościół św. Jakuba stoi do dzisiaj i należy do najcenniejszych zabytków. Jest to jedna z pierwszych świątyń zbudowanych z cegły. Zadanie wzniesienia kościoła i klasztoru Dominikanów otrzymał św. Jacek Odrowąż. Miejsce na wzgórzu, wybrane przez św. Jacka pod budowę, należało do skąpego Konrada, który obiecał oddać tę ziemię zakonnikom, jeżeli Jacek posadzi lipę do góry korzeniami. I tak się właśnie stało.

8. Na Szlaku Wielkich Pieców

KRZEMIEŃ PASIASTY

Najstarszy polski okręg przemysłowy znajduje się tam, gdzie Góry Świętokrzyskie stykają się z doliną rzeki Kamienna. W najdawniejszych czasach wydobywano tu krzemień, a dwa tysiące lat temu zaczęto wytapiać rudę żelaza w dymarkach, czyli pierwszych hutniczych piecach. Takim miejscem są Starachowice, gdzie ponad 100 lat temu powstał zespół wielkich pieców i zakładów metalurgicznych, który istnieje do dzisiaj. W Muzeum Przyrody i Techniki można zobaczyć jeden z takich wielkich pieców i pozostałości starej huty.

Największą hutę żelaza w Zagłębiu Staropolskim wybudowano 100 lat temu w Ostrowcu Świętokrzyskim, w którym tradycje wytopu żelaza sięgają kilku tysięcy lat. W mieście znajdują się nie tylko przemysłowe zakłady, ale również zabytkowe kościoły, dworki miejskie, a w Muzeum Historyczno-Archeologicznym można się zachwycać kolekcją porcelany wytworzonej w pobliskim Ćmielowie, w założonej 200 lat temu fabryce fajansu i porcelany.

Niedaleko Ostrowca, w Krzemionkach Opatowskich, od dawien dawna wydobywano krzemień pasiasty i znajdują się tam najlepiej na świecie zachowane wyrobiska górnicze. Najdłuższe z nich ma 400 metrów długości, ale istnieje tu 700 szybów górniczych, a każdy z nich ma wielokilometrową podziemną sieć chodników.

W Sielpi Wielkiej można zobaczyć ogromne, największe w Europie koło wodne o średnicy 8,5 metra i szerokości 3 metrów.

Jeden z pierwszych wielkich pieców hutniczych na ziemiach polskich postawiono 400 lat temu w Samsonowie, w którym pozostały dostępne do zwiedzania ruiny nowszej huty, zbudowanej przed 200 laty.

Natomiast w Końskich warto oglądnąć zabytek nie związany z przemysłem. Jest nim pałac i park z niezwykłą „Egipcjanką", czyli oranżerią egipską, ozdobioną hieroglifami (egipskie pismo) i posągami faraonów.

OD KRAKOWA

PO TATR SZCZYTY

1. w Krakowie
na Wawelu

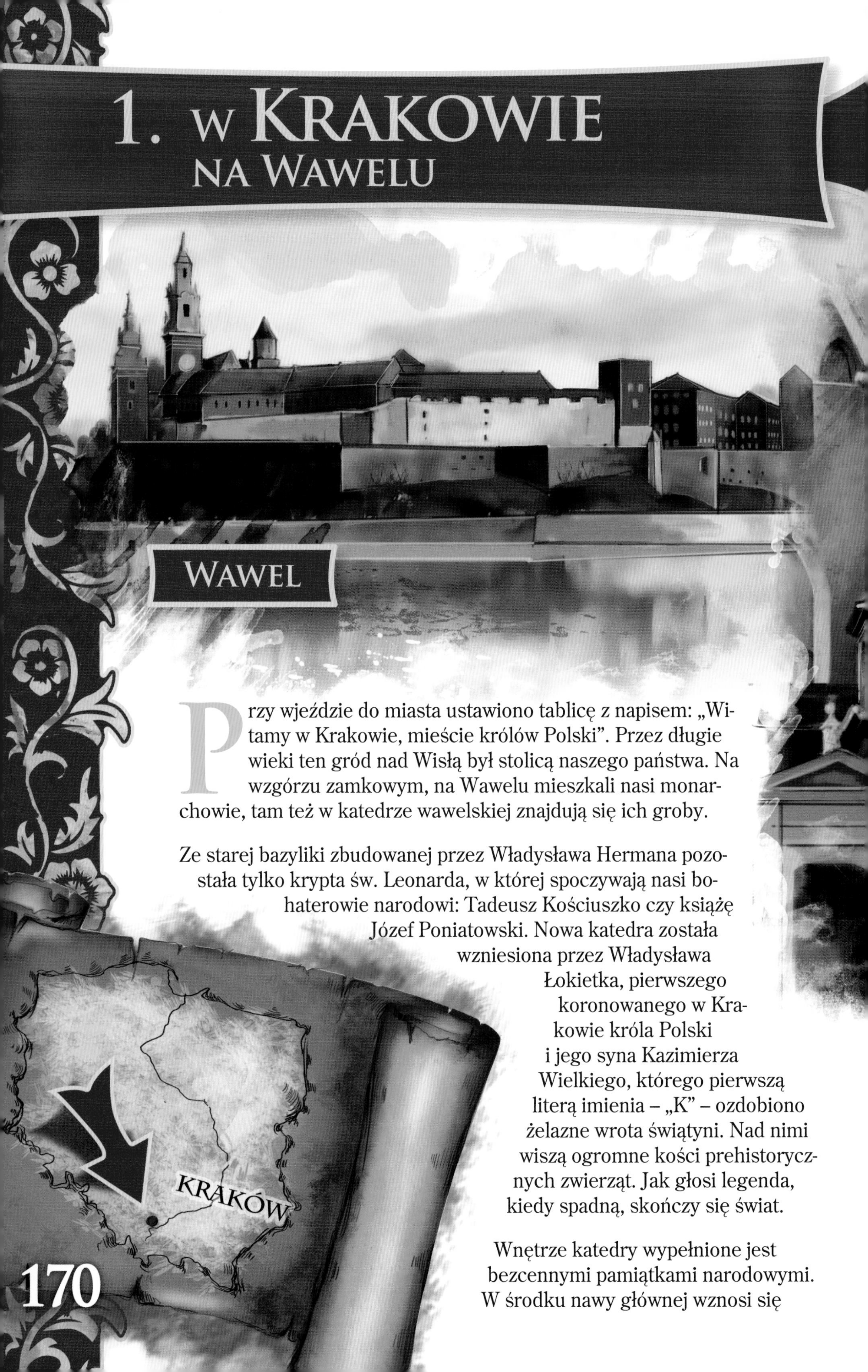

Wawel

Przy wjeździe do miasta ustawiono tablicę z napisem: „Witamy w Krakowie, mieście królów Polski". Przez długie wieki ten gród nad Wisłą był stolicą naszego państwa. Na wzgórzu zamkowym, na Wawelu mieszkali nasi monarchowie, tam też w katedrze wawelskiej znajdują się ich groby.

Ze starej bazyliki zbudowanej przez Władysława Hermana pozostała tylko krypta św. Leonarda, w której spoczywają nasi bohaterowie narodowi: Tadeusz Kościuszko czy książę Józef Poniatowski. Nowa katedra została wzniesiona przez Władysława Łokietka, pierwszego koronowanego w Krakowie króla Polski i jego syna Kazimierza Wielkiego, którego pierwszą literą imienia – „K" – ozdobiono żelazne wrota świątyni. Nad nimi wiszą ogromne kości prehistorycznych zwierząt. Jak głosi legenda, kiedy spadną, skończy się świat.

Wnętrze katedry wypełnione jest bezcennymi pamiątkami narodowymi. W środku nawy głównej wznosi się

Dzwon „Zygmunt"

Na jednej z wież katedry wawelskiej zawieszono ogromny dzwon Zygmunt, ważący około 11 ton, którego głos rozlega się z okazji najważniejszych świąt i wydarzeń.

Ołtarz Ojczyzny ze srebrną trumną z relikwiami św. Stanisława, biskupa i męczennika, patrona Polski. W katedrze, w sarkofagach spoczywają królowie Polski. Szczególną uwagę zwraca nagrobek Kazimierza Jagiellończyka, wykonany przez Wita Stwosza z czerwonego cętkowanego marmuru. Okazały jest także biały marmurowy sarkofag św. Jadwigi Królowej. Jej relikwie znajdują się w małej trumience pod Czarnym Krucyfiksem, przed którym modliła się za życia.

Kaplica Zygmuntowska

Za perłę architektury uznawana jest Kaplica Zygmuntowska nakryta złotą kopułą. Szczątki wielu królów złożono w podziemnych kryptach katedry. Pochowano w nich także najwybitniejszych Polaków, w tym marszałka Józefa Piłsudskiego, a w 2010 roku, prezydenta Lecha Kaczyńskiego z małżonką po ich śmierci w katastrofie lotniczej pod Smoleńskiem.

Zamek wawelski był wielokrotnie przebudowywany, najwspanialej przez Zygmunta Starego. Z królewskich wnętrz najbardziej zachwyca sala tronowa, zwana Izbą Poselską, z sufitem, na którym umieszczono rzeźbione w drewnie głowy. Tron ustawiono na tle arrasu, czyli haftowanego obrazu, jednego z wielkiej kolekcji zamówionej przez Zygmunta Augusta.

2. Traktem KRÓLEWSKIM PRZEZ WAWELSKI GRÓD

Kraków otoczony był kiedyś pierścieniem murów obronnych z basztami i bramami. Do dzisiaj zachował się tylko ich mały, ale imponujący fragment z Bramą Floriańską i Barbakanem. W miejscu rozebranych murów założono ogrody nazywane Plantami. Ulica Floriańska, którą kiedyś podążali królowie i ich orszaki, prowadzi na Rynek Główny z kościołem Mariackim, ratuszem i Sukiennicami, a dalej na Wawel.

Barbakan

Barbakan, czyli Rondel, bronił wejścia do miasta. Zbudowany z cegły, ma mury grubości 3 metry, 130 strzelnic i 7 wieżyczek. Kiedyś otoczony był szeroką na 8 metrów fosą.

W kościele Mariackim znajduje się olbrzymi rzeźbiony ołtarz Wita Stwosza, przedstawiający Wniebowzięcie Maryi i inne sceny z Jej życia. Dwie różnej wysokości wieże kościoła zostały wzniesione przez dwóch braci, z których jeden zabił drugiego z zazdrości o postępy w budowaniu. Z wyższej wieży, zwanej Hejnalicą, co godzinę trębacz gra na cztery strony świata hejnał, przerywany zawsze w pół dźwięku. Legenda głosi, że wypuszczona przez tatarskiego najeźdźcę strzała przebiła gardło trąbiącemu na alarm strażnikowi i nie pozwoliła dokończyć melodii. Stąd urwany nagle hejnał.

Kościół Mariacki

W Krakowie został założony przez Kazimierza Wielkiego pierwszy w Polsce, a drugi w Europie Środkowej uniwersytet. Uczelnia wykształciła przez wieki wielu wybitnych uczonych. Studiował na niej

między innymi genialny astronom Mikołaj Kopernik. W najstarszym budynku Uniwersytetu Jagiellońskiego – Collegium Maius – urządzono muzeum.

W czasie zaborów Kraków był najważniejszym miejscem podtrzymywania polskości. Stąd też wyruszyła na wojnę Pierwsza Kompania Kadrowa Józefa Piłsudskiego, zaczątek polskiego wojska, które wywalczyło niepodległość Polski.

Co roku, tydzień po Bożym Ciele, na pamiątkę pokonania tatarskiego wodza na ulicach i rynku Krakowa tańczy Lajkonik. Uderzenie jego buławy przynosi szczęście na cały rok. Strój Lajkonika zaprojektował przeszło 100 lat temu bardzo znany artysta Stanisław Wyspiański.

Kraków to miasto niezliczonych zabytków: starych kościołów, klasztorów, kamienic oraz muzeów przybliżających dzieje wawelskiego grodu, kiedyś nękanego przez smoka mieszkającego w jamie nad Wisłą i na szczęście zgładzonego podstępnie przez sprytnego szewczyka Dratewkę.

3. U kamedułów na Bielanach i benedyktynów w Tyńcu

Gdy papież Jan Paweł II odwiedził klasztor Kamedułów na Srebrnej Górze, na krakowskich Bielanach, powiedział, że Kraków stoi bezpieczny i nienaruszony przez stulecia, bo kameduli są jego piorunochronem. To znaczy, że ochraniają go swoimi modlitwami.

Zakonnicy przestrzegają niezwykle surowej reguły. Mieszkają w małych domkach (eremach) lub pojedynczych celach. Przeważnie milczą i modlą się oraz pracują w samotności. Noszą białe habity z kapturami. Na świecie jest obecnie tylko 80 kamedułów (połowa z nich to Polacy) w dziewięciu klasztorach.

Kameduła

Kamedułów sprowadził do Krakowa 400 lat temu marszałek wielki koronny Mikołaj Wolski. Co prawda góra bielańska, na której miał stanąć klasztor, należała do kasztelana Sebastiana Lubomirskiego, a ten nie chciał jej sprzedać, ale Wolski zaprosił go na wystawną ucztę i poprosił, by zmienił zdanie. Wobec licznych gości Lubomirski nie mógł odmówić i podarował wieś zakonnikom. Dostał za to od Wolskiego wielką ilość srebrnych naczyń, stąd nazwa Srebrna Góra. Sam Wolski miał swoje apartamenty w klasztorze, a po śmierci został pochowany w kamedulskim habicie przy wejściu do kościoła.

Do klasztoru na Bielanach wpuszczani są tylko mężczyźni. Kobiety mogą do niego wejść tylko w 12 wyznaczonych dni w roku. Kiedyś zakonników odwiedzali często królowie. Był tu Władysław IV, Jan Kazimierz i Jan III Sobieski z królową Marysieńką.

W podziemiach kościoła znajduje się kaplica i krypta, w której na 100 lat zamurowywani są zmarli mnisi. Po tym czasie ich szczątki są przenoszone do wspólnego grobowca.

Klasztor na Srebrnej Górze

Na drugim brzegu Wisły, w Tyńcu, na wyniosłej wapiennej skale od prawie 1000 lat stoi warowny klasztor Benedyktynów. Ufundował go Kazimierz Odnowiciel. Był to jeden z najbogatszych i najważniejszych klasztorów w dawnej Polsce. Wieś Tyniec leżała przy przeprawie przez Wisłę, co miało duże znaczenie. Mieszkańcy uprawiali ziemię, ale zajmowali się także flisactwem oraz dziewiarstwem. Słynęli z robienia tynieckich magierek, czyli okrągłych czapek z białej wełny, bardzo chętnie i powszechnie noszonych w Małopolsce i na Podkarpaciu. Drewniane tynieckie chaty były malowane w kolorowe pasy. Henryk Sienkiewicz w pierwszym rozdziale powieści *Krzyżacy* opisał gospodę „Pod Lutym Turem" w Tyńcu, do której przyjechał jeden z bohaterów książki – Maćko z Bogdańca.

Klasztor w Tyńcu

4. „Wielka sól” – kopalnia soli w Wieliczce

Legenda głosi, że kiedy pod Krakowem, w Bochni i Wieliczce, odkryto złoża soli kamiennej, w pierwszej wydobytej solnej bryle znaleziono złoty pierścień. Należał on do księżnej Kingi, żony krakowskiego księcia Bolesława Wstydliwego. Kinga otrzymała w darze ślubnym od swojego ojca, króla Węgier, kopalnię soli. Na znak objęcia jej w posiadanie wrzuciła do szybu pierścień. Razem ze złożami soli powędrował on w cudowny sposób za królewną do Polski.

Kopalnia soli w Wieliczce, dziś już nieczynna i zamieniona w muzeum, jest co roku odwiedzana przez milion turystów. Podziemna trasa prowadzi przez 20 komór, z których wybrano sól, i ma trzy kilometry długości. Wiedzie przez trzy poziomy (cała kopalnia ma ich dziewięć) i aby je przejść, trzeba pokonać 800 schodów. W komorach urządzono kaplice, z których najstarsza – św. Antoniego została poświęcona 300 lat temu. Największe wrażenie robi Kaplica św. Kingi,

Kaplica św. Kingi

nazywana podziemnym kościołem. Ma aż 50 metrów długości. Jej posadzka została wykuta w jednolitej bryle solnej. Na wysokości 12 metrów pod sufitem zawieszono żyrandole z kryształami soli. W ołtarzu głównym znajduje się solna rzeźba św. Kingi, a w bocznych – figury św. Józefa i św. Klemensa, patrona górników. W kaplicy można podziwiać także solną rzeźbę papieża Jana Pawła II.

W innych komorach pokazano różne stare urządzenia i sprzęt górniczy, historię wydobywania soli, rodzaje pozyskiwanej soli, w tym najcenniejszą, najczystszą sól szybikową i sól zieloną bryłową. W kopalni można także zobaczyć władcę podziemi wielickich – Skarbnika, który ostrzegał górników przed niebezpieczeństwem. Znajdują się tu również liczne stalaktyty i stalagmity oraz podziemne jezioro.

Poza trasą przeznaczoną do zwiedzania w Wieliczce założono jedyny na świecie podziemny rezerwat przyrody – Groty Kryształowe. Występują w nich wyjątkowo duże kryształy solne. Groty nie są przeznaczone do zwiedzania, gdyż jakiekolwiek naruszenie panujących w ich wnętrzu warunków klimatycznych grozi uszkodzeniem i stopieniem się kryształów. Pochodzące z nich okazy można oglądać w innych muzeach, w zamkniętych gablotach.

5. Święta z Sącza, pustelnik z Tropia i palmy z Lipnicy

Gdy książę Bolesław Wstydliwy podarował swojej żonie – św. Kindze – ziemię sądecką, ufundowała ona w Starym Sączu dwa klasztory. Jeden dla mężczyzn – klasztor Franciszkanów – i drugi dla kobiet – klasztor Klarysek. Po śmierci męża Kinga zamieniła książęce stroje na habit mniszki i resztę życia spędziła w założonym przez siebie klasztorze w Starym Sączu. Według legendy księżna często chodziła pieszo z Sącza w Pieniny. Po drodze podpierała się kijem. Na śladach, które zostawił, wyrosły lipy. Odpoczywała też, siadając na przydrożnych kamieniach, nazywanych „tronami św. Kingi". Z kija zatkniętego w ziemię w ciągu jednej nocy wyrosło pokaźne drzewo, pod którym księżna poleciła wykopać studzienkę. Woda z niej okazała się uzdrawiająca. Dzisiaj źródełko św. Kingi jest obmurowane i stoi przy nim kapliczka. Srebrna trumna z relikwiami św. Kingi znajduje się w przyklasztornym kościele Świętej Trójcy i św. Klary, w którym podziwiać można zabytkowy

ołtarz główny i niezwykłą ambonę z tak zwanym Drzewem Jessego, czyli przedstawieniem rodowodu Jezusa.

Niedaleko Starego Sącza, nad sztucznym Jeziorem Czchowskim, na skalistym cyplu stoi odbudowany zamek Tropsztyn, kiedyś siedziba rycerzy-rabusiów. O warowni i ukrytym w niej skarbie Inków krąży legenda. Po drugiej stronie jeziora (kiedyś na drugim brzegu Dunajca) we wsi Tropie znajduje się jeden z najstarszych kościołów: św. Świerada i św. Benedykta, a także pustelnia św. Świerada. Święty Świerad był mnichem benedyktynem i przez wiele lat prowadził samotne życie pełne umartwień ofiarowywanych Panu Bogu.

Kościół św. Świerada i św. Benedykta

Źródełko św. Kingi

Lipnica Murowana leży przy dawnym szlaku handlowym wiodącym z Krakowa na Węgry. Przy rynku stoją stare drewniane domy z podcieniami oraz zabytkowe kościoły. Jeden z nich pod wezwaniem św. Szymona z Lipnicy został postawiony w miejscu domu, w którym mieszkał ten święty bernardyn, znany z głoszenia żarliwych kazań w Krakowie. Na cmentarzu w Lipnicy znajduje się drewniany kościółek św. Leonarda, którego wnętrze zostało pokryte bardzo cennymi malowidłami – polichromią. Miasteczko słynie także z tradycji wyrabiania niezwykle kolorowych i dużych palm wielkanocnych.

6. Skamieniałe Miasto i Perła Podkarpacia

BIECZ
CIĘŻKOWICE

Niedaleko Ciężkowic, wśród dębowo-sosnowego lasu, wyrastają grupy dużych skałek z piaskowca o fantazyjnych kształtach. Jest to rezerwat przyrody – Skamieniałe Miasto. Skałki tworzą baszty, maczugi, ambony oraz grzyby skalne i mają swoje nazwy. Jest tu Czarownica, Ratusz, Pustelnia, Baszta, Borsuk, Grunwald. Legenda mówi, że w skale Grunwald, zwanej także Piekłem, znajduje się wejście prowadzące do ukrytego we wnętrzu skarbu. Raz w roku, w czasie Mszy Świętej Zmartwychwstania Pańskiego w Ciężkowicach skała ukazuje przez chwilę bogactwa, jakie w sobie skrywa.

Dawno temu żył sobie rycerz Becz, który lubił napadać na bogatych kupców, ale uwalniał też niewolników przewożonych przez ich karawany. Kiedy został w końcu pojmany i skazany na ścięcie, uratowała go Bietka, którą uwolnił z niewoli i oddał na wychowanie na dwór książęcy.

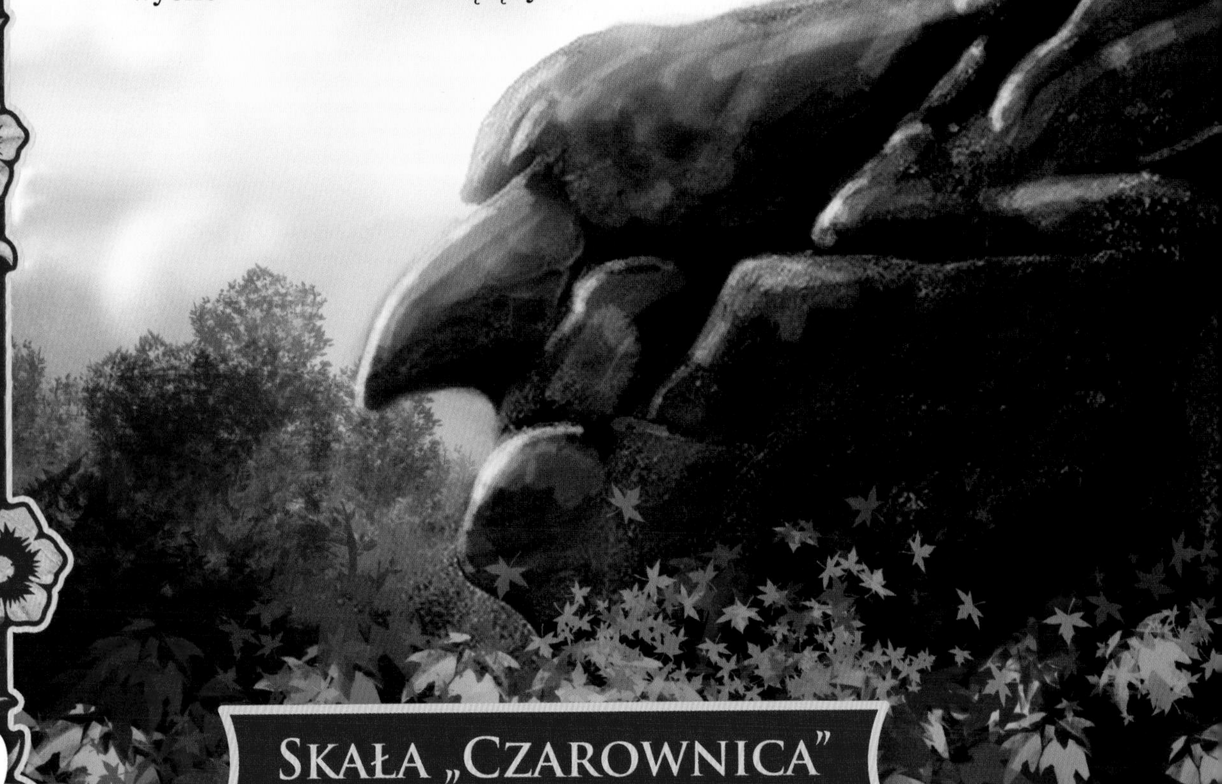

Skała „Czarownica"

Skamieniałe miasto

Gdy miał już położyć głowę pod topór kata, dziewczyna, starym zwyczajem, zarzuciła mu na głowę białą chustkę, mówiąc „Mój ci on". Uratowany zbójnik, aby odkupić winy, założył wtedy Biecz. To niewielkie, ale bardzo stare miasteczko nazywane jest „Perłą Podkarpacia". Kiedyś było to jedno z największych miast w Polsce. Znajdowały się tam trzy zamki i dwór królewski, w których często przebywali polscy monarchowie. Królowa Jadwiga ufundowała tam szpital Świętego Ducha, gdzie kiedyś, jak mówi legenda, sama opatrzyła biedaka, a ten od razu cudownie wyzdrowiał.

W mieście było dawniej siedem kościołów. Dziś najbardziej okazała jest świątynia Bożego Ciała licząca 500 lat, ze wspaniałym ołtarzem głównym i rzeźbionymi, malowanymi stallami (ławkami). W rynku stoi ratusz z wysoką wieżą, z której w południe rozlega się hejnał. Dawniej był on grany o poranku, w południe oraz wieczorem przy zamykaniu bram. W podziemiach ratusza rezydował biecki kat, który ścinał przestępcom głowy i torturował skazanych. Był wypożyczany także do innych miast. Powstała nawet legenda o szkole katów w Bieczu, ale nie jest ona prawdziwa. Zachował się również fragment murów obronnych z dzwonnicą i Basztą Katowską, jedną z 17 istniejących w dawnych czasach.

7. Na ziemi Tarnowskiej

Tarnów jest starym miastem należącym przed wiekami do rodziny Tarnowskich. Na pobliskiej Górze św. Marcina znajdują się ruiny zamku. Tarnowski rynek zdobi ratusz z charakterystyczną wieżą. Wokół rozchodzą się uliczki wytyczone jeszcze w średniowieczu. Jedna z zachowanych kamienic ma 500 lat. W mieście tym urodził się Józef Bem, który jest bohaterem Węgier. Walczył o ich niepodległość i nazywany jest przez nich „ojczulkiem". Jego prochy spoczęły w mauzoleum-grobowcu w Tarnowie.

Jedną z dzielnic Tarnowa są Mościce. Swą nazwę zawdzięczają prezydentowi Polski Ignacemu Mościckiemu. Dzięki niemu na tym terenie powstała ogromna fabryka chemiczna istniejąca do dnia dzisiejszego. Przez kilka lat jej dyrektorem był Eugeniusz Kwiatkowski, który przyczynił się do rozbudowy polskiego przemysłu w odrodzonej po 1918 roku ojczyźnie. Był również budowniczym portu w Gdyni i pobliskiego Centralnego Okręgu Przemysłowego. W powstałych wtedy nowoczesnych zakładach znalazły pracę dziesiątki tysięcy Polaków. W zakładach lotniczych w nieodległym Mielcu produkowano bombowce „Łoś", jedne z najnowocześniejszych na świecie. Jeden z nich zrekonstruowano w zakładach w Mielcu.

W pobliżu Tarnowa leży wieś Wierzchosławice, gdzie w ubogiej chłopskiej rodzinie przyszedł na świat Wincenty Witos. Został on przywódcą ruchu ludowego skupiającego głównie ludność wiejską. W odrodzonej po 1918 roku niepodległej Polsce był znanym politykiem i trzykrotnie premierem rządu. W jego pogrzebie na początku komunistycznego zniewolenia wzięło udział 100 tysięcy osób. Wincenty Witos spoczywa na cmentarzu w Wierzchosławicach.

Tarnowski ratusz

Zamek w Dębnie

Przy drodze biegnącej z Tarnowa do Krakowa leży Dębno. Możemy w nim spotkać miłośników dawnych rycerskich obyczajów i turniejów. Gromadzą się oni w niewielkim murowanym zamku mającym prawie 600 lat. Zamkiem w Dębnie zachwycał się już słynny malarz Jan Matejko. Niedaleko stąd do Szczepanowa, gdzie wedle tradycji przed 1000 lat przyszedł na świat św. Stanisław – patron Polski. Warto zobaczyć także wioskę Zalipie, gdzie kobiety bogato zdobiły swe wiejskie chaty. W kolorowe kwiaty malowały ściany domów, płoty, studnie. Kilkadziesiąt takich domów zachowało się do dzisiaj.

Zalipie

8. Pienińskim spływem Dunajca

Z powstaniem Pienin, malowniczych gór, związane jest wiele legend. Jedna z nich opowiada o tym, jak św. Kinga wraz mniszkami uciekały przed Tatarami grabiącymi te ziemie. Gdy święta słyszała już ich głosy z tyłu, rzuciła grzebień i wtedy wyrosły gęste lasy. Nie zatrzymało to najeźdźców. Wtedy pozostawiła różaniec. W miejscu jego paciorków stanęły pienińskie skały. Tatarzy nadal się jednak zbliżali. Zatrzymała ich dopiero niebieska wstążka odrzucona za siebie, bo tak między pienińskimi szczytami wytrysła urokliwa rzeka – Dunajec. Dzisiaj możemy popłynąć jej nurtami na drewnianych tratwach prowadzonych przez flisaków. Odpychają oni tratwy długimi żerdziami – spryskami. Płynąc około dwudziestokilometrowym szlakiem, podziwiamy najwyższy szczyt Pienin – białe, wapienne Trzy Korony oraz Sokolicę. Panorama, jaka roztacza się z jej szczytu, z wyrastającą ze skał sosną i płynącym w dole Dunajcem, jest jedną z najbardziej charakterystycznych dla Pienin. Góry poprzecinane są licznymi szlakami turystycznymi, wąwozami – wśród nich najpopularniejszym: Homole – oraz jaskiniami. Te ostatnie upodobały sobie nietoperze.

Na terenie Pienin już przed kilkudziesięciu laty utworzono Pieniński Park Narodowy. Chroni się w nim rzadkie rośliny i zwierzęta. Wśród nich rysia, żbika, puchacze, ale też rzadką mysz

Myszka małooka

małooką czy jednego z największych motyli w Polsce – niepylaka apollo.

Nad Jeziorem Czorsztyńskim, powstałym po budowie zapory wodnej w Niedzicy, wznoszą się dwa zamki. Z tego w Czorsztynie, powstałego dzięki św. Kindze, zostały tylko ruiny. Dostrzeżemy z niego drugi: w Niedzicy. Przetrwał on do naszych czasów i dzisiaj urządzono w nim muzeum, hotel, restauracje. Kręcono w nim wiele filmów, wśród nich popularne przed laty *Wakacje z duchami* i *Janosika*.

W pobliżu możemy zwiedzić znane uzdrowisko Szczawnicę oraz Dębno Podhalańskie – małą wioskę leżącą u podnóża gór Gorców i ich najwyższego szczytu Turbacza. Już od wieków zachwyca wznoszący się w niej drewniany kościółek zbudowany bez użycia gwoździ. Jest jednym z najcenniejszych zabytków w Polsce. Na jego drewnianych ścianach zachowała się kolorowa polichromia (malowidło), która powstała przed ponad pięcioma wiekami i jest tak zachwycająca, iż legenda mówi, że namalował ją sam patron kościółka – św. Archanioł Michał.

NIEPYLAK APOLLO

ZAMEK W NIEDZICY

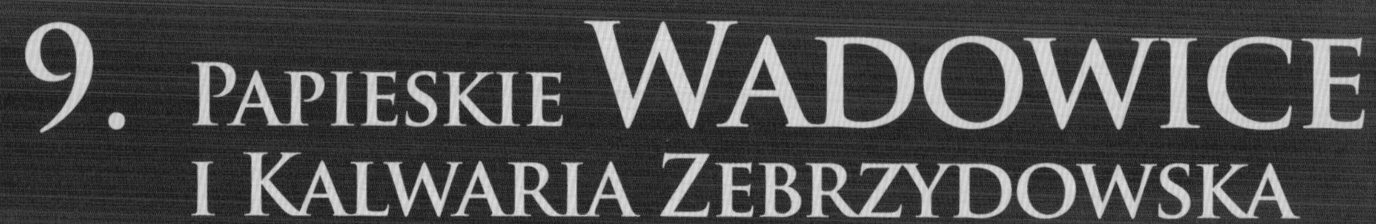

9. Papieskie Wadowice i Kalwaria Zebrzydowska

„W tym mieście, w Wadowicach wszystko się zaczęło. I życie się zaczęło, i szkoła się zaczęła, studia się zaczęły i teatr się zaczął. I kapłaństwo się zaczęło" – tak mówił o swym mieście Ojciec Święty Jan Paweł II podczas kolejnej pielgrzymki do Polski, na szlaku której znalazły się rodzinne Wadowice. Przybywają do niego turyści z całego świata, chcąc zobaczyć miejsce urodzenia papieża Polaka – Karola Wojtyły.

W domu rodziny Wojtyłów urządzono Muzeum Dom Rodzinny Ojca Świętego Jana Pawła II. Znajduje się on przy wadowickim rynku i zgromadzono w nim wiele pamiątek po największym Polaku. Sąsiaduje z kościołem, w którym ochrzczony został mały Karol. Na murach świątyni zachował się zegar słoneczny z napisem „Czas ucieka, wieczność czeka". Przyszły papież widział go codziennie ze swego okna. Nie jest to jedyny święty związany z Wadowicami. W klasztorze Karmelitów wiele lat spędził i tam też zmarł ojciec Rafał Kalinowski, inżynier, powstaniec styczniowy, syberyjski zesłaniec. Jego grób znajduje się w Czernej pod Krakowem.

Karol Wojtyła już jako chłopiec pielgrzymował ze swym tatą do pobliskiej Kalwarii Zebrzydowskiej. Przed ponad 400 laty krakowski wojewoda Mikołaj Zebrzydowski zbudował klasztor Bernardynów, a obok kaplice i ścieżki mające być odwzorowaniem drogi krzyżowej Jezusa w Jerozolimie.

Karol Wojtyła

W ten sposób powstała „Polska Jerozolima". Miejscowy potok Skawinkę nazwano Cedronem, a górę Żar – Kalwarią. Kolejne stacje drogi krzyżowej miały swoje kaplice. I tak wytyczono Dróżki Pana Jezusa, a potem Dróżki Matki Bożej. Przybywający pielgrzymi wędrują nimi, odmawiając modlitwy i odprawiając nabożeństwa.

Wieloma cudami zasłynął obraz Matki Bożej Kalwaryjskiej, przed którym modlił się wielokrotnie Karol Wojtyła, a potem Jan Paweł II, wzywając też innych do nieustawania w modlitwie. Co roku tysiące wiernych przybywa w Wielkim Tygodniu na misteria – przedstawienia Męki Pańskiej, które odgrywają zakonnicy i mieszkańcy Kalwarii. Liczne rzesze gromadzi również uroczystość Wniebowzięcia Najświętszej Maryi Panny 15 sierpnia.

Karol Wojtyła jako krakowski biskup i kardynał, a potem papież przybywał do Kalwarii Zebrzydowskiej modlić się za ofiary niemieckiego obozu koncentracyjnego w Oświęcimiu, gdzie podczas drugiej wojny światowej Niemcy zbudowali „fabrykę śmierci" i mordowali w niej Polaków, Żydów oraz obywateli wielu narodów Europy. Wśród tych ofiar byli przyszli święci: ojciec Maksymilian Maria Kolbe i siostra zakonna Edyta Stein.

Bazylika Ofiarowania NMP w Wadowicach

10. W Czernej, Alwerni i Tenczynie

W Dolinie Eliaszówki, w Czernej położony jest otoczony lasami klasztor Karmelitów Bosych. Do dziś zachowały się ruiny czterokilometrowego kamiennego płotu, którym był kiedyś ogrodzony. Prowadził do niego, także już zrujnowany, Most Pustelniczy, zwany też Diabelskim Mostem. Wybudowali go pustelnicy. Miał 18 metrów wysokości i 120 metrów długości. Przerzucony nad głębokim jarem, składał się z jedenastu arkad, czyli łuków. Wyglądał jak rzymski starożytny akwedukt.

W klasztornym kościele św. Eliasza, zdobionym czarnym marmurem dębnickim, znajduje się słynący łaskami obraz Matki Bożej Szkaplerznej. W kaplicy przy wejściu do świątyni spoczywa św. Rafał Kalinowski, który przed wstąpieniem do karmelitów walczył w powstaniu styczniowym i został zesłany na Sybir. W zakonie znany był jako wieloletni przeor oraz cierpliwy i wytrwały spowiednik. Przed kościołem zbudowano grotę św. proroka Eliasza ze źródełkiem w kształcie serca z siedzącym na nim krukiem. Na zboczu wzgórza przy klasztorze postawiono stacje drogi krzyżowej.

Niedaleko Czernej warto zobaczyć imponujące ruiny zamku Tenczyn we wsi Rudno. Należał on do bogatego rodu Tęczyńskich. Władysław Jagiełło przetrzymywał w nim ważniejszych jeńców wziętych do niewoli w bitwie pod Grunwaldem. W zamku bywali znamienici goście, między innymi poeci Mikołaj Rej i Jan Kochanowski. Warownia została splądrowana i spalona przez Szwedów, którzy szukali w niej skarbów. Nie znaleźli jednak nic, gdyż tak naprawdę ukryto je w zamku na Spiszu, a dla zmylenia wroga rozpuszczono fałszywą pogłoskę, jakoby znajdowały się one w Tenczynie. Odbudowany po szwedzkim najeździe zamek był zamieszkiwany przez następne 100 lat. Spłonął od uderzenia pioruna i odtąd zaczął popadać w ruinę.

W okolicy znajdują się także ruiny średniowiecznego zamku Lipowiec, wykorzystywanego kiedyś jako więzienie. U podnóża zamku urządzono skansen w Wygiełzowie, w którym można zobaczyć kuźnię, spichlerz, warsztaty wikliniarza i szewca oraz duży dwór przeniesiony z Drogini. W pobliskiej Alwerni stoi stary klasztor Bernardynów z kościołem pod wezwaniem Stygmatów św. Franciszka. Nazwa miasta wywodzi się od położonej w Toskanii (Włochy) góry La Verna (po łacinie Alvernia), na której św. Franciszek otrzymał dar stygmatów, czyli ran Chrystusa. W niedzielę po Bożym Ciele odbywa się w Alwerni odpust nazywany „Strzelanką Alwernijską". Swoją nazwę zawdzięcza zwyczajowi strzelania z moździerzy w czasie procesji po zakończeniu nabożeństwa. Strzelano aby oddać hołd ukrzyżowanemu Chrystusowi.

Św. Franciszek z Asyżu

Ruiny zamku Tenczyn we wsi Rudno

11. Na Szlaku Orlich Gniazd

Orle Gniazda to ruiny średniowiecznych zamków położonych na szlaku od Krakowa do Częstochowy. W większości zostały zbudowane za panowania króla Kazimierza Wielkiego, który „zastał Polskę drewnianą, a zostawił murowaną". Zamki były budowane z białego kamienia zwanego wapieniem. Miały strzec terytorium naszego państwa przed wrogami. Jedną z takich warowni króla Kazimierza, położoną w Ogrodzieńcu, przebudował w późniejszym czasie zaufany doradca Zygmunta III Wazy, krakowianin Seweryn Boner. Powstał zamek, którego okazałe ruiny można dzisiaj zwiedzać. W każdą letnią niedzielę odbywają się tam turnieje rycerskie.

Orle Gniazda znajdują się poza tym w Korzkwi, Ojcowie, Rabsztynie, Bydlinie, Smoleniu, Siewierzu, Mirowie, Bobolicach, Morsku, Ostrężniku, Olsztynie czy Pieskowej Skale.

Pieskowa Skała

Prawie wszystkie popadły w ruinę. Jedynym zachowanym w całości jest Pieskowa Skała. Jej właściciele, możny ród Szafrańców, przebudowali kamienną, surową warownię w obronną, ale wygodną rezydencję. W pobliżu tajemniczych ruin Ostrężnika znajduje się Złoty Potok z pałacem Raczyńskich i dworkiem Wincentego Krasińskiego, ojca Zygmunta, wielkiego poety. W parku leży duży staw Irydion, a w lesie kryją się okazałe skałki wapienne: Brama Twardowskiego i Diabelskie Mosty.

Bardzo malownicze są podkrakowskie dolinki: Będkowska, Mnikowska, Kluczwody czy Prądnika. Znajduje się w nich wiele jaskiń. Tylko w Dolinie Prądnika jest ich aż 210. Stojące tam skały mają niezwykłe kształty, jak na przykład Maczuga Herkulesa czy Igła Deotymy. Najbardziej znana jest Jaskinia Nietoperzowa w Dolinie Będkowskiej i Jaskinia Łokietka na Chełmowej Górze w Ojcowie. Ukrywał się w niej król Władysław Łokietek. Według legendy to jej wejście zasnuł siecią pajączek, aby uratować księcia przed pościgiem czeskich rycerzy.

12. Kapryśnica Babia Góra

Babia Góra to najwyższy szczyt Beskidów. O nazwie góry krążą różne legendy. Według jednej z nich kobieta olbrzym wysypała przed chałupą kupę kamieni. Inna zaś głosi, że to skamieniała z żalu za zabitym ukochanym narzeczona zbójnika. Powiadają też, że zbójnicy ukrywali w jaskiniach góry porwane dziewczęta.

Z powodu wysokości i górowania nad innymi szczytami Babią Górę nazywa się również Królową Beskidów, a ponieważ pogoda na niej nieustannie się zmienia, mówią o niej Matka Niepogód lub Kapryśnica. Wejście na jej dwa wierzchołki – niższy, czyli Małą Babią Górę, inaczej zwany Cylem, oraz wyższy: Diablak (1725 metrów nad poziomem morza) – nie jest łatwe.

Jednak widok roztaczający się z góry na Tatry, Beskidy, Gorce zapiera dech.

W masywie Babiej Góry utworzono Babiogórski Park Narodowy, w którym chronione są między innymi występujące tylko tutaj rośliny: wysokie na dwa metry ziele – okrzyn jeleni, i kwitnąca na biało rogownica alpejska.

U stóp Babiej Góry leży Zawoja, największa i druga po Ochotnicy najdłuższa wieś w Polsce. Znajduje się w niej zabytkowy kościół, kapliczka i karczma oraz mały skansen żyjących tu Babiogórców – pasterzy i rolników. Dużo większy skansen urządzono w Zubrzycy Górnej. Stoi tam obszerny drewniany dwustuletni sołtysi dwór Moniaków. Nie ma jednak komina, czyli jest, jak to nazywano, kurny. Dym z paleniska wydobywał się na zewnątrz przez specjalne otwory w dachu. Oprócz dworu w skansenie znajdują się dwie karczmy, tartak, kuźnia, folusz, pasieka oraz chłopskie chałupy i zagrody.

Warto także pojechać do Suchej Beskidzkiej, gdzie poza zamkiem zwanym Małym Wawelem, kościołem i klasztorem znajduje się słynna karczma „Rzym", znana jako miejsce, z którego diabeł chciał porwać do piekła pana Twardowskiego.

Dwór Moniaków

14. NA TATRZAŃSKICH SZLAKACH

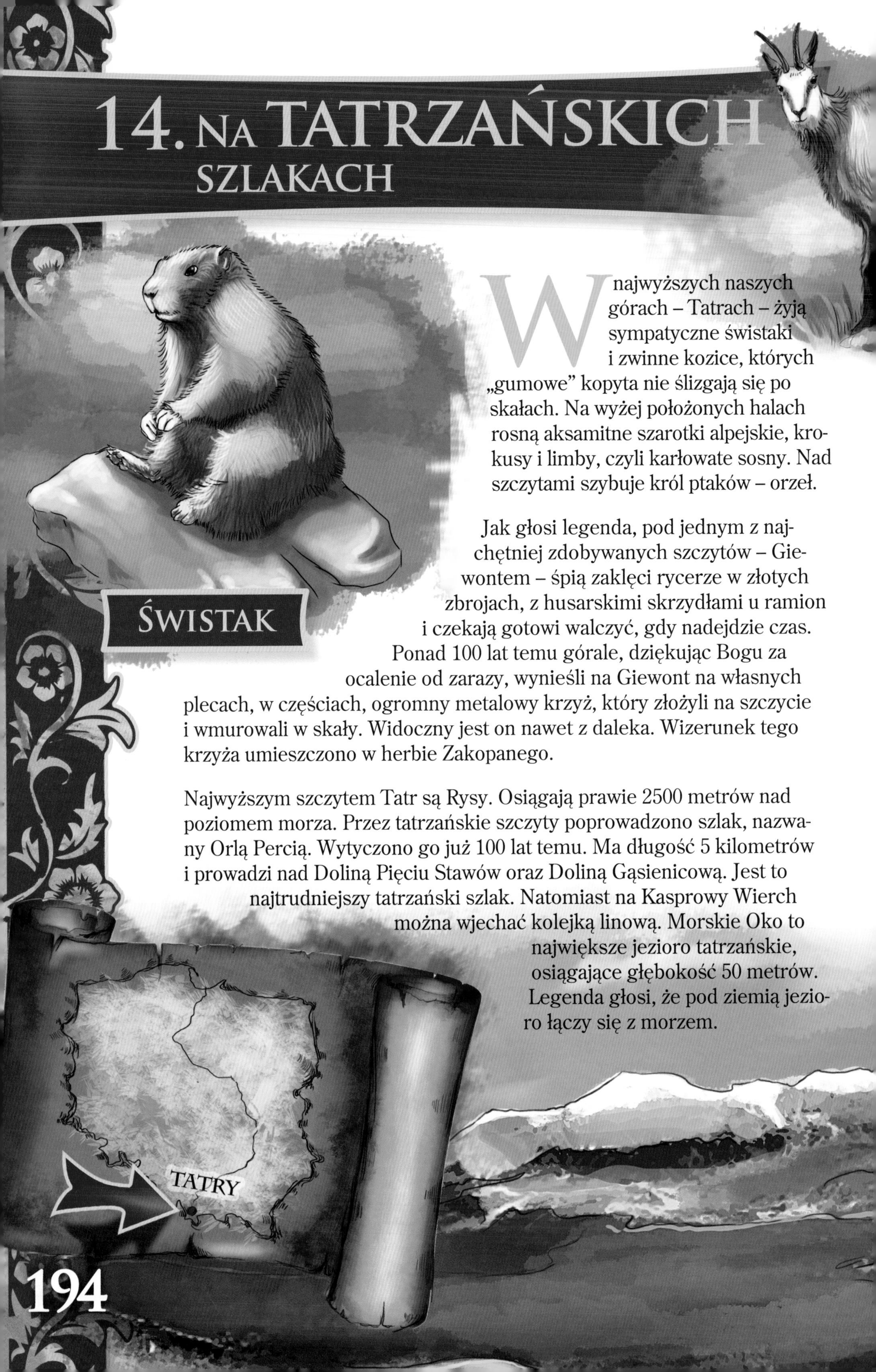

W najwyższych naszych górach – Tatrach – żyją sympatyczne świstaki i zwinne kozice, których „gumowe" kopyta nie ślizgają się po skałach. Na wyżej położonych halach rosną aksamitne szarotki alpejskie, krokusy i limby, czyli karłowate sosny. Nad szczytami szybuje król ptaków – orzeł.

Jak głosi legenda, pod jednym z najchętniej zdobywanych szczytów – Giewontem – śpią zaklęci rycerze w złotych zbrojach, z husarskimi skrzydłami u ramion i czekają gotowi walczyć, gdy nadejdzie czas. Ponad 100 lat temu górale, dziękując Bogu za ocalenie od zarazy, wynieśli na Giewont na własnych plecach, w częściach, ogromny metalowy krzyż, który złożyli na szczycie i wmurowali w skały. Widoczny jest on nawet z daleka. Wizerunek tego krzyża umieszczono w herbie Zakopanego.

Najwyższym szczytem Tatr są Rysy. Osiągają prawie 2500 metrów nad poziomem morza. Przez tatrzańskie szczyty poprowadzono szlak, nazwany Orlą Percią. Wytyczono go już 100 lat temu. Ma długość 5 kilometrów i prowadzi nad Doliną Pięciu Stawów oraz Doliną Gąsienicową. Jest to najtrudniejszy tatrzański szlak. Natomiast na Kasprowy Wierch można wjechać kolejką linową. Morskie Oko to największe jezioro tatrzańskie, osiągające głębokość 50 metrów. Legenda głosi, że pod ziemią jezioro łączy się z morzem.

Kozica

Krzyż na Giewoncie

U podnóża Tatr rozciąga się zimowa stolica Polski – Zakopane. Kiedyś była to malutka osada, w której mieszkali pasterze. Dziś jest tłumnie odwiedzanym przez turystów miastem. Po dawnych czasach zostały w Zakopanem charakterystyczne góralskie chałupy budowane z drewnianych bali. Najstarsza z nich nazywa się „Koliba", a najpiękniejsza to „Willa pod Jedlami". Zakopane było ulubionym miejscem odpoczynku i pracy wielu sławnych Polaków. Mieszkał tu na przykład znany pisarz Kornel Makuszyński, autor *Przygód Koziołka Matołka*, *Szatana z siódmej klasy* czy *Awantury o Basię*. Pisarz został pochowany na starym zakopiańskim cmentarzu na Pęksowym Brzysku.

Tatry były ulubionymi górami Karola Wojtyły – papieża Jana Pawła II. W Dolinie Chochołowskiej wytyczono Papieski Szlak, oznaczony kolorem żółtym. Papież wędrował nim w czasie jednej z pielgrzymek do ojczyzny. Jako dar Bogu za ocalenie papieża Polaka z zamachu górale wybudowali na Krzeptówkach drewniany, misternie rzeźbiony kościół poświęcony Matce Bożej Fatimskiej.

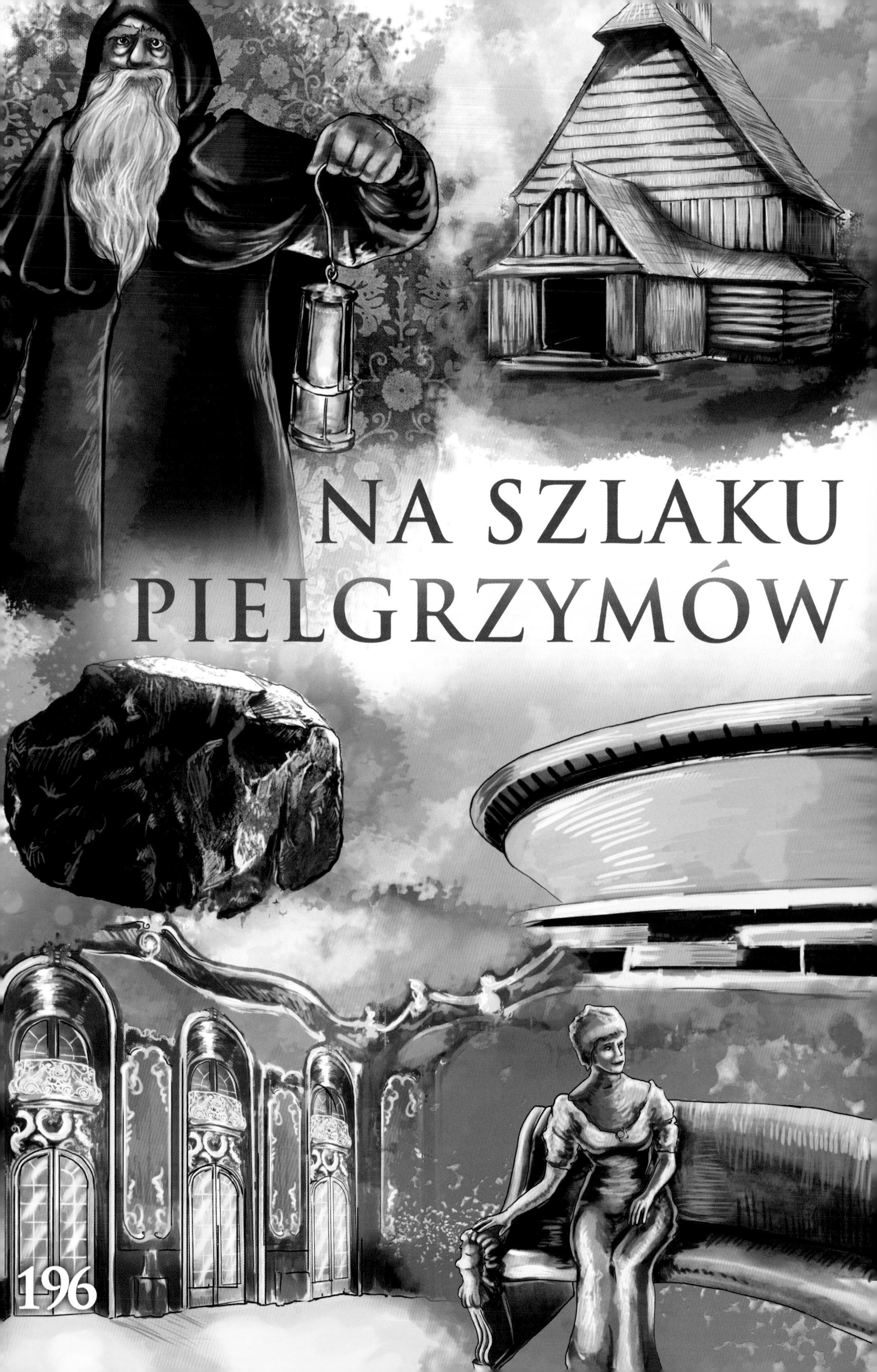

NA SZLAKU PIELGRZYMÓW

KOPALŃ,
I GÓRALI

1. W stolicy Górnego Śląska

Górny Śląsk to kraina kopalni i hut. Z regionem związanych jest wiele legend. Najbardziej znana jest ta o dobrym Skarbniku opiekującym się pracującymi pod ziemią górnikami.

O przyłączenie Górnego Śląska do Polski Ślązacy walczyli w trzech śląskich powstaniach w latach 1919-1920. W Katowicach na rondzie, obok hali widowiskowo-sportowej „Spodek", stoi pomnik Powstańców Śląskich. Wspomniany „Spodek" jest bardzo charakterystyczny, bo ma kształt ogromnego latającego talerza – UFO. W tym górniczym mieście, w którym znajduje się kilka kopalni węgla kamiennego, warto zobaczyć zbudowane 100 lat temu osiedle Giszowiec, pomyślane jako miasto-ogród, oraz postawione trochę później, ale też starannie rozplanowane osiedle Nikiszowiec. Typowe, starsze domy górników były nazywane „familokami" i zewsząd otaczały je kopalniane hałdy.

„Spodek"

Wśród katowickich kościołów wyróżniają się: katedra Chrystusa Króla, imponująca bazylika św. Ludwika i Wniebowzięcia Najświętszej Maryi Panny z klasztorem Franciszkanów w Panewnikach oraz kościół św. Szczepana w Katowicach-Bogucicach, który jest sanktuarium Matki Bożej Boguckiej, bardzo czczonej na Górnym Śląsku.

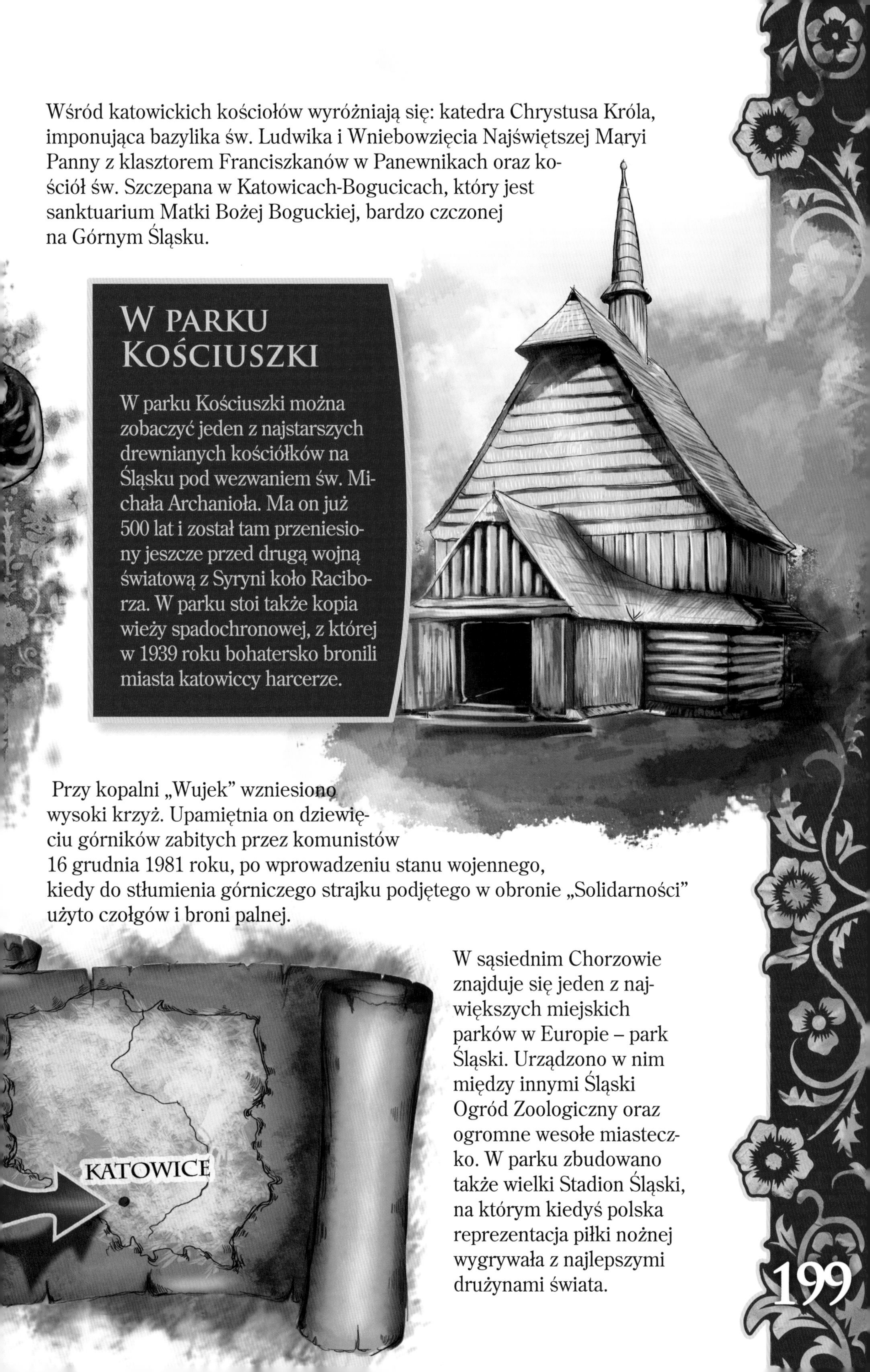

W parku Kościuszki

W parku Kościuszki można zobaczyć jeden z najstarszych drewnianych kościółków na Śląsku pod wezwaniem św. Michała Archanioła. Ma on już 500 lat i został tam przeniesiony jeszcze przed drugą wojną światową z Syryni koło Raciborza. W parku stoi także kopia wieży spadochronowej, z której w 1939 roku bohatersko bronili miasta katowiccy harcerze.

Przy kopalni „Wujek" wzniesiono wysoki krzyż. Upamiętnia on dziewięciu górników zabitych przez komunistów 16 grudnia 1981 roku, po wprowadzeniu stanu wojennego, kiedy do stłumienia górniczego strajku podjętego w obronie „Solidarności" użyto czołgów i broni palnej.

W sąsiednim Chorzowie znajduje się jeden z największych miejskich parków w Europie – park Śląski. Urządzono w nim między innymi Śląski Ogród Zoologiczny oraz ogromne wesołe miasteczko. W parku zbudowano także wielki Stadion Śląski, na którym kiedyś polska reprezentacja piłki nożnej wygrywała z najlepszymi drużynami świata.

2. W górniczych chodnikach ze św. Barbarą

W Tarnowskich Górach, w dzielnicy Repty, w starej kopalni rud cynku i ołowiu można zwiedzać sztolnię „Czarny Pstrąg". Podziemna trasa wiedzie przez zatopione częściowo chodniki, które trzeba przepływać łodziami przy świetle starych górniczych lamp – karbidówek. Na powierzchni urządzono Skansen Maszyn Parowych.

„Czarny Pstrąg"

Sztolnie nieczynnej ćwiczebnej kopalni węgla kamiennego udostępniono zwiedzającym w Muzeum „Sztygarka" w Dąbrowie Górniczej. W mieście znajduje się także rezerwat geologiczny przy jednym z najgrubszych (20 metrów) na świecie pokładów węgla kamiennego.

Skansen Górniczy utworzono również w Zabrzu, w nieczynnej dwustuletniej kopalni „Królowa Luiza". Można w nim przebyć półtorakilometrową podziemną trasę ze starymi wyrobiskami. Jeszcze większą atrakcję stanowi zabytkowa Kopalnia Węgla Kamiennego „Guido". Zwiedzaniu towarzyszą zaskakujące efekty specjalne – słychać trzeszczące stropy,

piszczące szczury i rozmawiających górników. Na drugim poziomie udostępnionym zwiedzającym można zobaczyć między innymi, jak pracują olbrzymie górnicze kombajny.

W Zabrzu warto też obejrzeć monumentalny kościół św. Józefa, w którym w kaplicy św. Barbary znajduje się ołtarz wyrzeźbiony w bryle węgla. Święta Barbara jest patronką górników i jej figury znajdują się na wszystkich kopalniach, gdzie pracownicy pozdrawiają się tradycyjnym „Szczęść Boże". W mieście poza tym stoi stuletnia Wieża Wodna, jedna z najwyższych na Śląsku – ma 46 metrów wysokości, co odpowiada piętnastopiętrowemu budynkowi.

Wieża wodna

W Gliwicach, jednym z najstarszych i najładniejszych śląskich miast, stary rynek z ratuszem otaczają kamienice z podcieniami. Są tu nawet kościoły liczące po 600 lat. W muzeum w willi Caro można zobaczyć wnętrze domu górnośląskich przemysłowców sprzed ponad 100 lat. Najbardziej znanym obiektem miasta jest najwyższa na świecie, drewniana wieża radiowa, mierząca 110 metrów wysokości.

Wieża radiowa

3. Czarna Madonna z Jasnej Góry

W Częstochowie na Jasnej Górze znajduje się najsłynniejsze w Polsce sanktuarium maryjne, czyli miejsce poświęcone Maryi, Matce Jezusa. Bardzo dawno temu, przed 600 laty przybyli z Węgier na to wzgórze, nazwane później właśnie Jasną Górą, zakonnicy – paulini. Mieli tu mały drewniany kościółek. Niedługo potem książę tych ziem Władysław Opolczyk podarował zakonnikom obraz Matki Bożej, który przywiózł z Bełza koło Lwowa. Ikona, czyli obraz namalowany na drewnianej desce, wkrótce zasłynęła licznymi łaskami i cudami. Wieść o tym szybko rozeszła się nie tylko po polskiej krainie. Jasna Góra stała się miejscem niezliczonych pielgrzymek. Przybywali tu nawet królowie, aby się modlić o pomyślność ojczyzny i dziękować za polskie zwycięstwa. Pielgrzymi wędrują do Matki Bożej Częstochowskiej do dzisiaj. Częstochowę nazywamy duchową stolicą Polski, bo stamtąd Maryja Królowa Polski roztacza swoją opiekę nad naszą ojczyzną.

Według tradycji cudowny obraz namalował św. Łukasz Ewangelista na blacie stołu, przy którym Święta Rodzina jadała posiłki. Maryja trzyma na lewym ramieniu Dzieciątko Jezus. Na prawym policzku i na szyi Madonny widać rysy. Zostały one zadane szablą przez bandę rabusiów, którzy chcieli ukraść obraz. Matka Boża Częstochowska nazywana jest też Czarną Madonną. Na obrazie można zmieniać sukienki. Jest ich dziewięć, wśród nich jedna wykonana z bursztynu. Na głowy świętych postaci nałożono złote korony papieskie.

Ściany kaplicy Matki Bożej zdobią liczne wota, czyli dary ofiarowane przez ludzi, którzy otrzymali za wstawiennictwem Maryi łaski. Obok obrazu wystawiono przestrzelony w czasie zamachu na placu św. Piotra w Rzymie pas papieża Jana Pawła II oraz jego dar – złotą różę.

Wieża jasnogórskiego klasztoru ma przeszło 106 metrów i jest najwyższą w Polsce. Jasna Góra była twierdzą otoczoną wysokimi i grubymi murami obronnymi. Załoga klasztoru pod dowództwem bohaterskiego przeora ojca Augustyna Kordeckiego obroniła sanktuarium przed Szwedami w czasie „potopu". W Arsenale, czyli zbrojowni, do dzisiaj przechowywane są szwedzkie kule armatnie wystrzelone w czasie oblężenia.

Najsłynniejsze sanktuarium maryjne na Górnym Śląsku znajduje się w Piekarach Śląskich. Jan Paweł II nazwał je sanktuarium Matki Sprawiedliwości i Miłości Społecznej. Co roku przybywają tu najliczniejsze pielgrzymki stanowe, czyli osobno mężczyzn i osobno kobiet. Cudowny obraz Matki Bożej Piekarskiej został namalowany 500 lat temu. Podczas wyprawy na Wiedeń modlił się przed nim król Jan III Sobieski.

4. W PSZCZYŃSKIM PAŁACU

Legendy mówią, że pierwszy zamek w Pszczynie zbudowali dawno temu książęta piastowscy, aby mieć lokum, gdy będą polowali w okolicznych lasach na żubry i inną zwierzynę. Potem, kiedy ziemie te przeszły we władanie Prus, Pszczyną władały bogate niemieckie książęce rody. Dziś ta rezydencja należy do nielicznych budowli, które nie ucierpiały w czasie wojny i zachowały nawet oryginalny wystrój sprzed ponad 100 lat. Przez niektórych pszczyński pałac nazywany jest Śląskim Wersalem. Do zamku można wejść Bramą Wybrańców, strzeżoną kiedyś przez doborowych żołnierzy nazywanych właśnie „wybrańcami". Na parterze odtworzono apartamenty cesarza Prus Wilhelma II, który przyjeżdżał do Pszczyny na polowania na żubry i jelenie. Liczne trofea myśliwskie zawieszone są na ścianach. Jednym z najbardziej reprezentacyjnych pomieszczeń pałacu jest klatka schodowa, która przepychem i bogatym wystrojem miała olśniewać gości.

Brama Wybrańców

Sala lustrzana

Podobnie olśniewające wrażenie robi sala lustrzana, najwyższa w zamku. Trzy oświetlające ją okna mają po siedem metrów wysokości. Z sufitu zwisa pięć wielkich kryształowych żyrandoli. Nazwa sali pochodzi od dwóch ogromnych kryształowych luster umieszczonych naprzeciw siebie, wykonanych w Paryżu i przewiezionych do Pszczyny. Zamek otacza rozległy park ze stawami, kanałami, altanami, starymi drzewami, kapliczkami i kwiatami.

Pszczyna ma także wielki rynek ze starym ratuszem, kościołem i kolorowymi kamieniczkami. Z pałacu można dojechać dębową aleją do myśliwskiego zameczku w Promnicach. Niedaleko, w Tychach, stolicy polskiego przemysłu samochodowego, znajduje się założony w 1629 roku stary Browar Książęcy, w którego zabytkowych budynkach urządzono muzeum.

Ławeczka Daisy

Pomnik żony pana pszczyńskiego Jana Henryka XV. Znana była ona z działalności charytatywnej, zajmowała się rannymi w pierwszej wojnie światowej i organizowała paczki żywnościowe dla więźniów w czasie drugiej wojny światowej.

5. U BESKIDZKICH GÓRALI

Bielsko i Biała długo były dwoma miastami przedzielonymi rzeką Białą. Oba słynęły z tkactwa i mieszkało w nich wielu bogaczy. Dziś połączone są w jedno: Bielsko-Białą z wyniosłą katedrą i górującym nad miastem zamkiem. Znane jest z Teatru Lalek „Banialuka" oraz Studia Filmów Rysunkowych, w którym powstały bajki o Bolku i Lolku, Reksiu, Smoku Wawelskim i profesorze Gąbce, Pampalinim łowcy zwierząt, Panu Bałaganie oraz innych.

Z Bielska niedaleko już do górskich miejscowości Beskidu Śląskiego. W Koniakowie góralki wyrabiają misterne koronki, cenione nie tylko w Polsce. We wsi, w domu rodziny Gwarków, znajduje się Muzeum Koronek. Można tam zobaczyć między innymi zrobioną na szydełku przez koniakowskie koronczarki suknię ślubną. W leżącej obok Istebnej Kubalonce stoi stary, kryty gontem drewniany kościół Świętego Krzyża, a w jednej z tradycyjnych chałup – „kurlawej", czyli kurnej, to znaczy bez komina – należącej do Kawuloków, mieści się bardzo znana Izba Regionalna. Kurna chata składała się z dwóch izb oraz sieni. W izbie czarnej, w której snuł się dym z paleniska i osmalał ściany na czarno, toczyło się życie domowników. W izbie białej, niezadymionej, trzymano świąteczne ubrania, pościel, cenniejsze sprzęty i święte obrazy. W chacie mieszkał beskidzki gawędziarz i twórca instrumentów ludowych Jan Kawulok, grający na trombicie, czyli kilkumetrowej pasterskiej trąbie. Sztukę ludową górali beskidzkich prezentują także muzea w Jaworzynce i Ciścu.

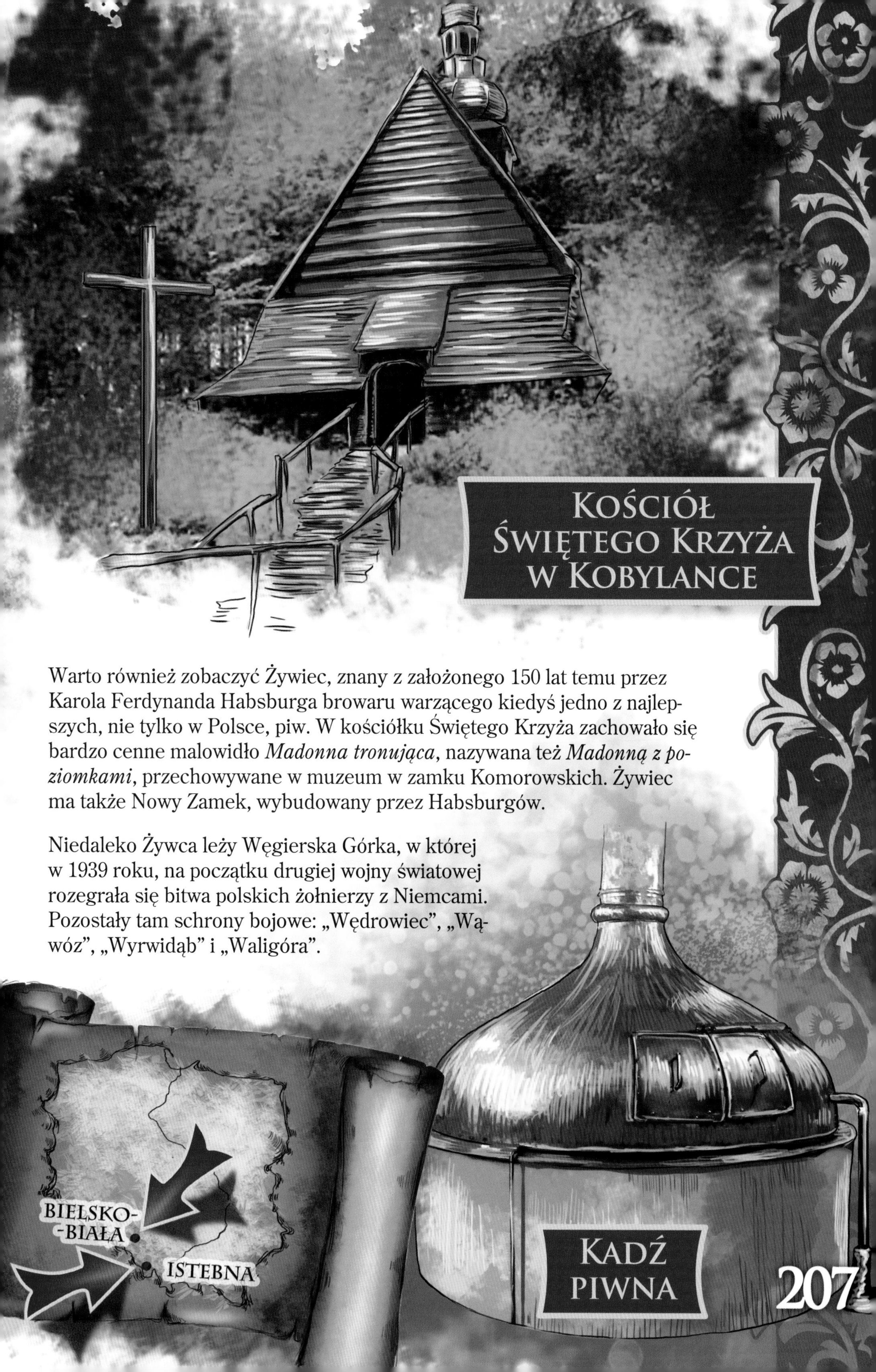

Warto również zobaczyć Żywiec, znany z założonego 150 lat temu przez Karola Ferdynanda Habsburga browaru warzącego kiedyś jedno z najlepszych, nie tylko w Polsce, piw. W kościółku Świętego Krzyża zachowało się bardzo cenne malowidło *Madonna tronująca*, nazywana też *Madonną z poziomkami*, przechowywane w muzeum w zamku Komorowskich. Żywiec ma także Nowy Zamek, wybudowany przez Habsburgów.

Niedaleko Żywca leży Węgierska Górka, w której w 1939 roku, na początku drugiej wojny światowej rozegrała się bitwa polskich żołnierzy z Niemcami. Pozostały tam schrony bojowe: „Wędrowiec", „Wąwóz", „Wyrwidąb" i „Waligóra".

6. Na ziemi cieszyńskiej

Królowa polskich rzek, Wisła, bierze swój początek na Baraniej Górze. Wypływają z niej dwa potoki: Biała Wisełka i Czarna Wisełka. Źródła te są chronione. Ze szczytu Baraniej można podziwiać panoramę Beskidów. U stóp góry leży Wisła, miejscowość wypoczynkowa i ośrodek sportu, rozsławiona przez najlepszego polskiego skoczka narciarskiego Adama Małysza. Miasto było także znane i chętnie odwiedzane dawniej. Bywali tu pisarze: Maria Konopnicka, Bolesław Prus i Władysław Reymont, który pisał tu fragmenty swojej powieści *Chłopi*, nagrodzonej literacką Nagrodą Nobla. Miasteczko ma dwa zamki: jeden myśliwski, wybudowany przez Habsburgów, i drugi prezydencki, na Zadnim Groniu, podarowany przez Polaków prezydentowi Ignacemu Mościckiemu. Po drugiej wojnie światowej, kiedy komuniści przejęli władzę w Polsce, w zakazane przez nich święto narodowe 3 maja 1946 roku w Wiśle urządził defiladę swojego oddziału partyzancki dowódca niepoddający się komunistycznej władzy – kapitan Henryk Flame „Bartek".

Aby poznać kulturę Śląska Cieszyńskiego, warto odwiedzić Ustroń, ośrodek wypoczynkowy z wyciągiem krzesełkowym na górę Czantorię. Przy rynku mieści się muzeum etnograficzne Stara Zagroda. Natomiast w zabytkowym budynku dyrekcji dawnej huty „Klemens" urządzono Muzeum Hutnictwa i Kuźnictwa.

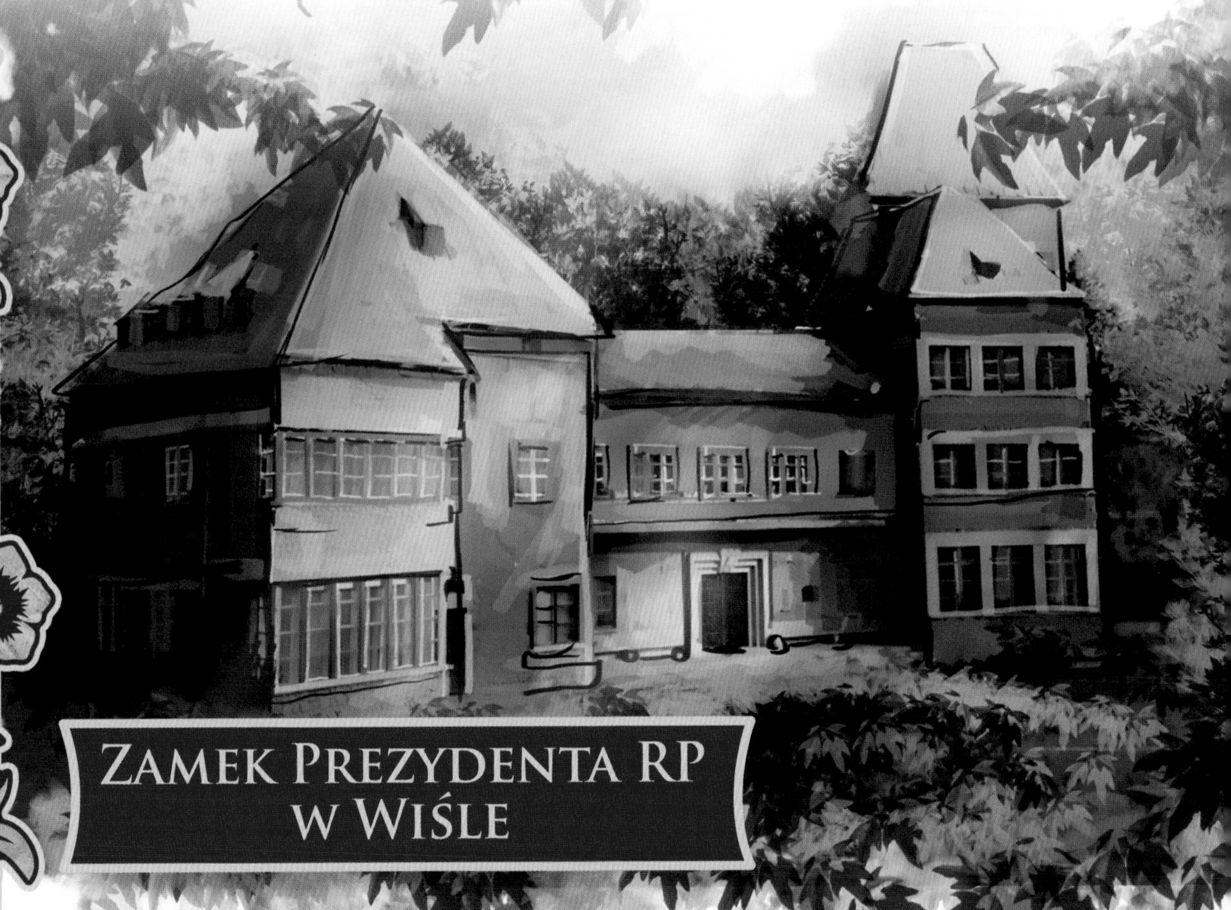

Zamek Prezydenta RP w Wiśle

Skoczów jest miejscem kultu św. Jana Sarkandra, męczennika zamordowanego 400 lat temu. Sarkander urodził się w Skoczowie i tam właśnie, w jego domu, rozpoczyna się Szlak Sarkandrowski. W 1995 roku w Skoczowie z okazji ogłoszenia męczennika świętym papież Jan Paweł II odprawił Mszę Świętą w zabytkowej kaplicy na wzgórzu Kaplicówka. Dzisiaj z daleka widoczny jest postawiony w tym miejscu krzyż papieski.

Stary Cieszyn

Stary przygraniczny gród piastowski Cieszyn został założony ponad 1000 lat temu na Górze Zamkowej. Przetrwał tu tysiącletni kamienny, okrągły kościółek, tak zwana rotunda św. Mikołaja, oraz wieża zwana Piastowską, pozostała po zamku książęcym. Nazwa miasta związana jest z legendą o trzech braciach: Bolku, Leszku i Cieszku, którzy spotkali się przy źródełku po długiej podróży i postanowili założyć gród Cieszyn – od cieszenia się ze spotkania. W miejscu tym stoi Studnia Trzech Braci.

7. Na Śląsku Opolskim

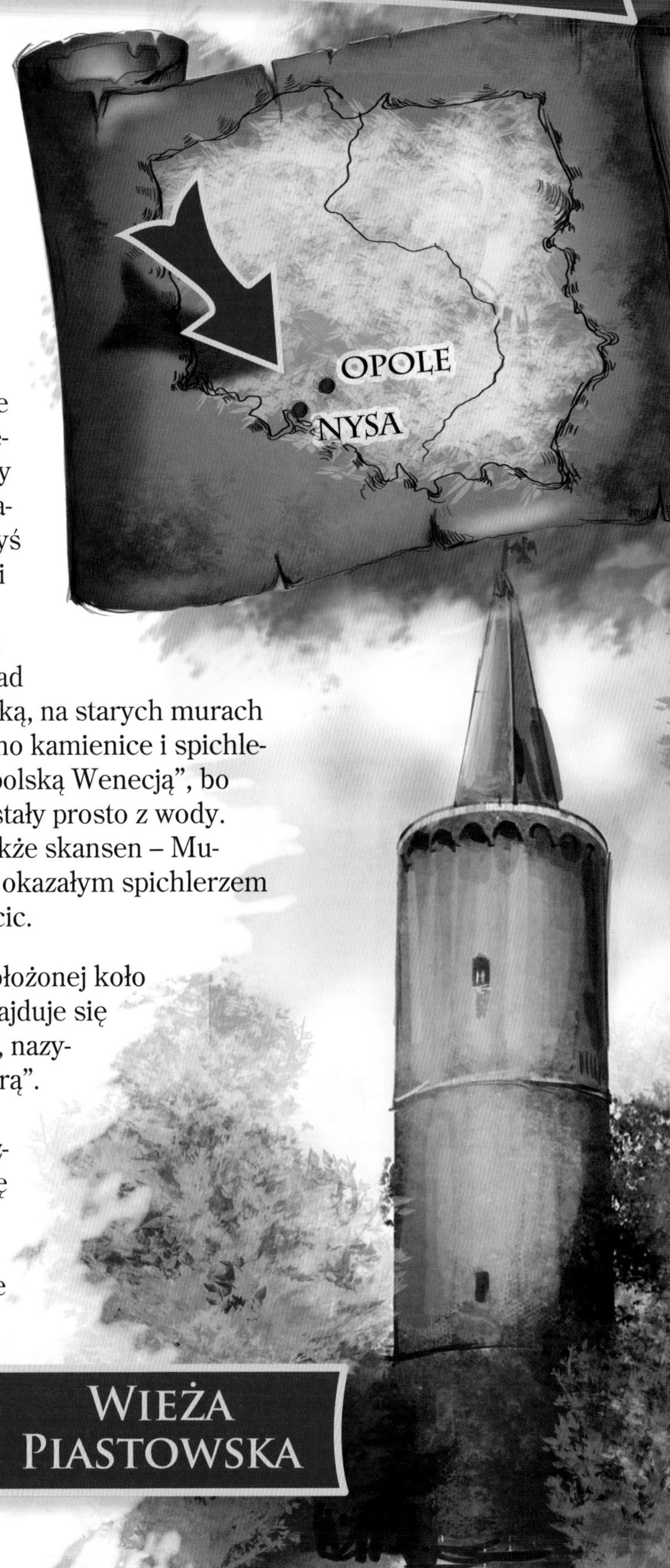

Plemię Opolan założyło swój gród na wyspie Pasieka, między ramionami Odry. Ze średniowiecznego książęcego zamku pozostała tylko wysoka okrągła wieża Piastowska. W kościele Franciszkanów pod wezwaniem Świętej Trójcy spoczywają opolscy Piastowie, władający kiedyś tą ziemią. Obok wznosi się katedra św. Krzyża z dwiema wysokimi na 75 metrów wieżami. Nad odnogą Odry, Młynówką, na starych murach obronnych wybudowano kamienice i spichlerze, które nazwano „opolską Wenecją", bo wyglądają, jakby wyrastały prosto z wody. W Opolu urządzono także skansen – Muzeum Wsi Opolskiej, z okazałym spichlerzem folwarcznym ze Sławęcic.

Na Górze św. Anny, położonej koło Strzelec Opolskich, znajduje się sanktuarium św. Anny, nazywane „śląską Jasną Górą". W kościele klasztoru Franciszkanów umieszczono cudowną figurkę św. Anny. Wykonano ją z drewna lipowego 600 lat temu. W rejonie Góry św. Anny rozegrała się największa bitwa trzeciego powstania śląskiego.

Wieża Piastowska

Fontanna Trytona w Nysie

Nysa była kiedyś jednym z najważniejszych miast Polski. Należała do biskupów wrocławskich. Dzięki wielu okazałym budowlom nazywano ją „śląskim Rzymem". Na owalnym rynku stoi potężna bazylika św. Jakuba St. Apostoła i św. Agnieszki. W średniowieczu zdobiło go 40 ołtarzy. Zachował się także Dom Wagi, czyli miejsce, w którym ważono towary, Piękna Studnia oraz marmurowa Fontanna Trytona. Oprócz innych zabytkowych kościołów i pałacu biskupiego, w którym urządzono Muzeum Nyskie, na skraju miasta ostały się zrujnowane forty i reduty pruskiej twierdzy.

Na Śląsku Opolskim warto również zobaczyć bajkowy pałac w Mosznej, ozdobiony aż 99 wieżyczkami, oraz zamek biskupów wrocławskich w Otmuchowie, z krytymi schodami, po których można było wjeżdżać konno.

W Paczkowie zachowały się potężne mury obronne. Ocalało 19 z 24 istniejących kiedyś baszt oraz trzy wieże bramne: Wrocławska, Kłodzka i Ząbkowicka. Przetrwał także obronny kościół św. Jana Ewangelisty ze studnią zwaną Tatarską, wykorzystywaną w czasie oblężenia. Paczków zyskał miano „śląskiego Carcassonne" – z zachowanymi murami obronnymi na wzór francuskiego miasta.

Pałac w Mosznej

ZAMKI,

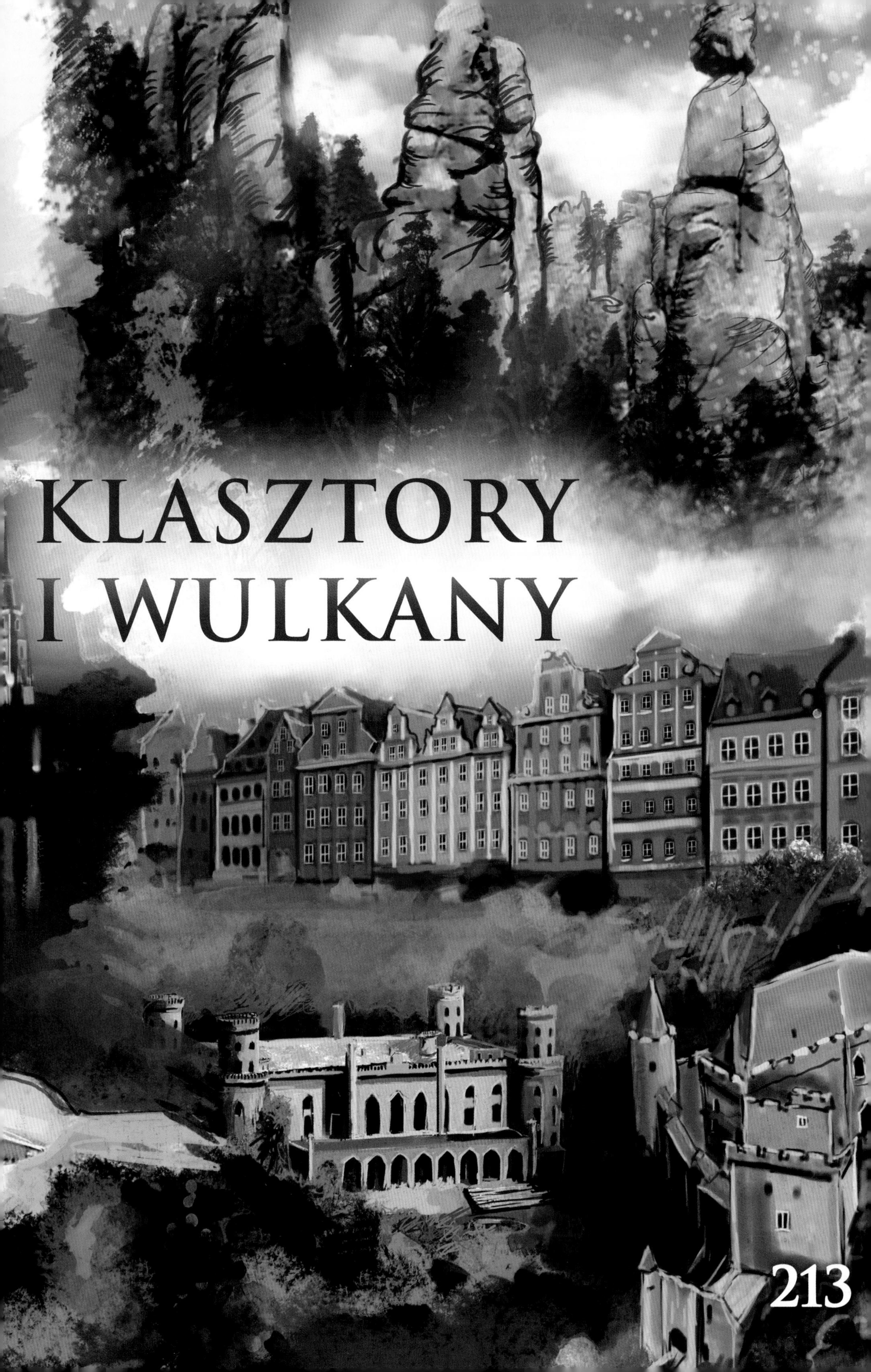

KLASZTORY I WULKANY

1. Wrocław – stolica Dolnego Śląska

Wrocław, stolica Dolnego Śląska, to jedno z najstarszych miast Europy Środkowej. Już w czasach pierwszego króla Polski Bolesława Chrobrego był potężnym grodem i stolicą biskupstwa. Potem przez wieki należał do miast bardzo zamożnych, prowadzących handel z Francją, Włochami, Rusią, a nawet daleką Irlandią. Udało mu się odbudować po najeździe Tatarów, w czasie którego został spalony. Później na kolejne wieki przeszedł pod panowanie najpierw Czechów, następnie Niemców. W czasie drugiej wojny światowej został prawie całkowicie zburzony i zrujnowany. Odbudowany, przeżył jeszcze jedno ciężkie zagrożenie, którym była wielka powódź w 1997 roku.

Najstarszą częścią miasta jest Ostrów Tumski, który kiedyś był wyspą. Z Wyspy Piaskowej prowadzi na niego żelazny most Tumski. Na Ostrowie znajduje się kilka kościołów, w tym strzelista katedra św. Jana Chrzciciela. Z powstaniem dwupoziomowego kościoła Świętego Krzyża i św. Bartłomieja związana jest legenda. Wrocławski książę Henryk i bp Tomasz toczyli ze sobą spór o to, który z nich jest ważniejszy. W końcu na znak pojednania postanowili wybudować świątynię św. Bartłomieja. Ale kiedy w czasie

kopania robotnicy znaleźli korzeń w kształcie krzyża, biskup chciał zmienić wezwanie kościoła na Świętego Krzyża. Na to jednak nie zgodził się książę. I tak zbudowano jeden kościół na dachu drugiego. Do dolnego – św. Bartłomieja – schodzi się po 17 schodach, a do górnego – Świętego Krzyża – wchodzi się po 24 stopniach.

Wrocławski rynek należy do największych staromiejskich rynków w Europie. Stoi na nim ratusz, na wieży którego umieszczono 600 lat temu najstarszy w Polsce zegar. Przed ratuszem można zobaczyć przywieziony ze Lwowa, należącego przed drugą wojną światową do Polski, pomnik komediopisarza Aleksandra Fredry. Wiele kamieniczek na rynku zostało odbudowanych z ruin po wojnie.

We Wrocławiu przechowywany jest prawdziwy skarb: Panorama Racławicka. Jest to największy obraz namalowany przez kilkunastu malarzy. Dzieło to ma 120 metrów długości i 15 metrów szerokości, czyli tyle, co trzypiętrowy dom. Obraz przedstawia bitwę kosynierów Tadeusza Kościuszki z wojskiem rosyjskim pod Racławicami. Upamiętnia on setną rocznicę wybuchu powstania kościuszkowskiego. Aby pokazać malowidło, wybudowano specjalne pomieszczenie w kształcie rotundy, czyli okrągłej budowli. Pomiędzy obrazem a widzami ustawiono specjalne dekoracje: drzewa, trawy, drogi, wozy, dzięki czemu oglądającym wydaje się, że są na prawdziwym polu bitwy.

2. Szlak Wygasłych Wulkanów

Na Dolnym Śląsku – między Legnickim Polem, gdzie kiedyś Tatarzy rozbili wojska księcia Henryka Pobożnego, a Złotoryją – wytyczono Szlak Wygasłych Wulkanów. Wilcza Góra, Czartowska Skała, Ostrzyca, Grodziec, Trupień, Owczarek, Obłoga, Górzec, Łysanka, Oścień, Radogost, Kostrza, Dębina kiedyś wyrzucały z siebie gejzery lawy i bomby wulkaniczne. Stojąca trochę na uboczu trójkątna Ostrzyca Proboszczowicka nazywana jest „śląską Fudżijamą". Lawa zaschnięta w kominach wulkanicznych tworzy słupy podobne do piszczałek organów. Na górze Rataj można zobaczyć Małe Organy Myśliborskie, a w okolicach Świerzawy – Wielkie Organy Wielisławskie. Na szczycie innego wulkanu zbudowano imponujący, potężny zamek Grodziec. Z jego historią związanych jest również wiele legend: o czerwonym upiorze, czarnej prababce czy zakonnicy i rycerzu. Tych ostatnich możemy spotkać na organizowanych na zamku turniejach rycerskich.

Złotoryja

Strzelin

Ostrzyca Proboszczowicka

Nad Złotoryją wznosi się Wilcza Góra, zwana też Wilkołakiem. Część wzgórza została rozebrana w czasie wydobywania bazaltu używanego do budowy dróg i innych obiektów. Pozostał odsłonięty komin wulkaniczny, w którym zobaczymy tak zwaną różę bazaltową, czyli spękane i pozawijane pięcioboczne słupy bazaltowe przypominające kształtem pąki kwiatów. Pod Wilczą Górą wciąż leżą bomby wulkaniczne – okrągłe głazy ważące kilka ton, wyrzucone kiedyś z wnętrza czynnego wulkanu. U podnóża góry znajdują się także dwie jaskinie: Wilcza Jama i Niedźwiedzia Jama. W Złotoryi dawno temu wydobywano złoto. Aby poznać tę historię, można zwiedzić wykutą 400 lat temu w Górze św. Mikołaja kopalnię „Aurelia".

Góra Ślęża, od której nazwę wziął Śląsk, zwana też czasem Sobótką, to też wygasły wulkan. Na jego szczycie znajdują się tajemnicze rzeźby i kamienne kręgi. Porastający górę stary las mieszany jest rezerwatem przyrody.

Największe w Europie kamieniołomy granitu znajdują się w Strzelinie, gdzie stoi bardzo stary kamienny kościół św. Gotarda. W rynku zachowano ruiny zniszczonego w czasie wojny ratusza. Granit i bazalt są wydobywane poza tym w kamieniołomach Strzegomia. W mieście warto zwiedzić okazały zabytkowy kościół świętych Piotra i Pawła.

3. Zamek w Książu i „Podziemne miasto”

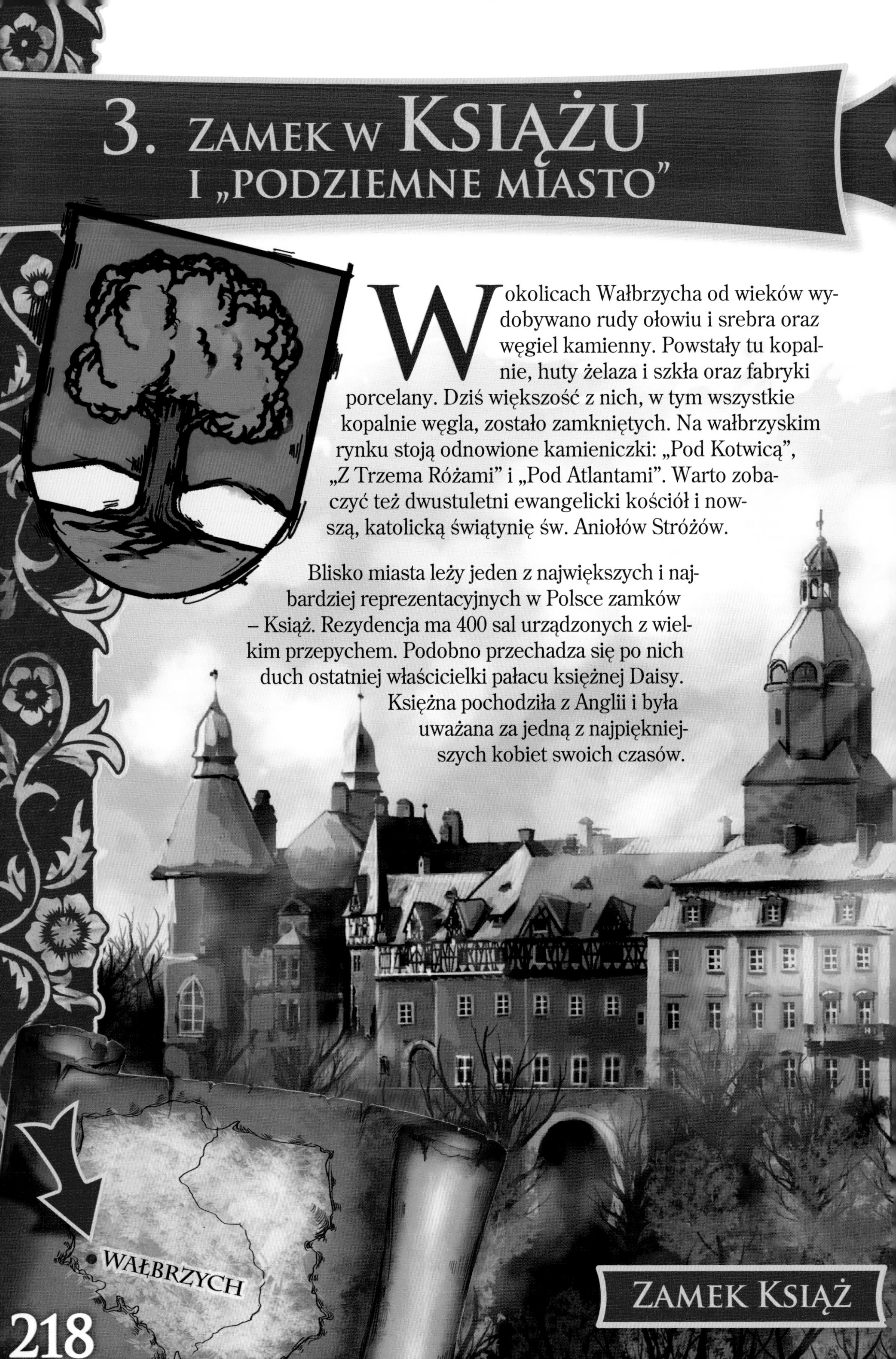

W okolicach Wałbrzycha od wieków wydobywano rudy ołowiu i srebra oraz węgiel kamienny. Powstały tu kopalnie, huty żelaza i szkła oraz fabryki porcelany. Dziś większość z nich, w tym wszystkie kopalnie węgla, zostało zamkniętych. Na wałbrzyskim rynku stoją odnowione kamieniczki: „Pod Kotwicą”, „Z Trzema Różami” i „Pod Atlantami”. Warto zobaczyć też dwustuletni ewangelicki kościół i nowszą, katolicką świątynię św. Aniołów Stróżów.

Blisko miasta leży jeden z największych i najbardziej reprezentacyjnych w Polsce zamków – Książ. Rezydencja ma 400 sal urządzonych z wielkim przepychem. Podobno przechadza się po nich duch ostatniej właścicielki pałacu księżnej Daisy. Księżna pochodziła z Anglii i była uważana za jedną z najpiękniejszych kobiet swoich czasów.

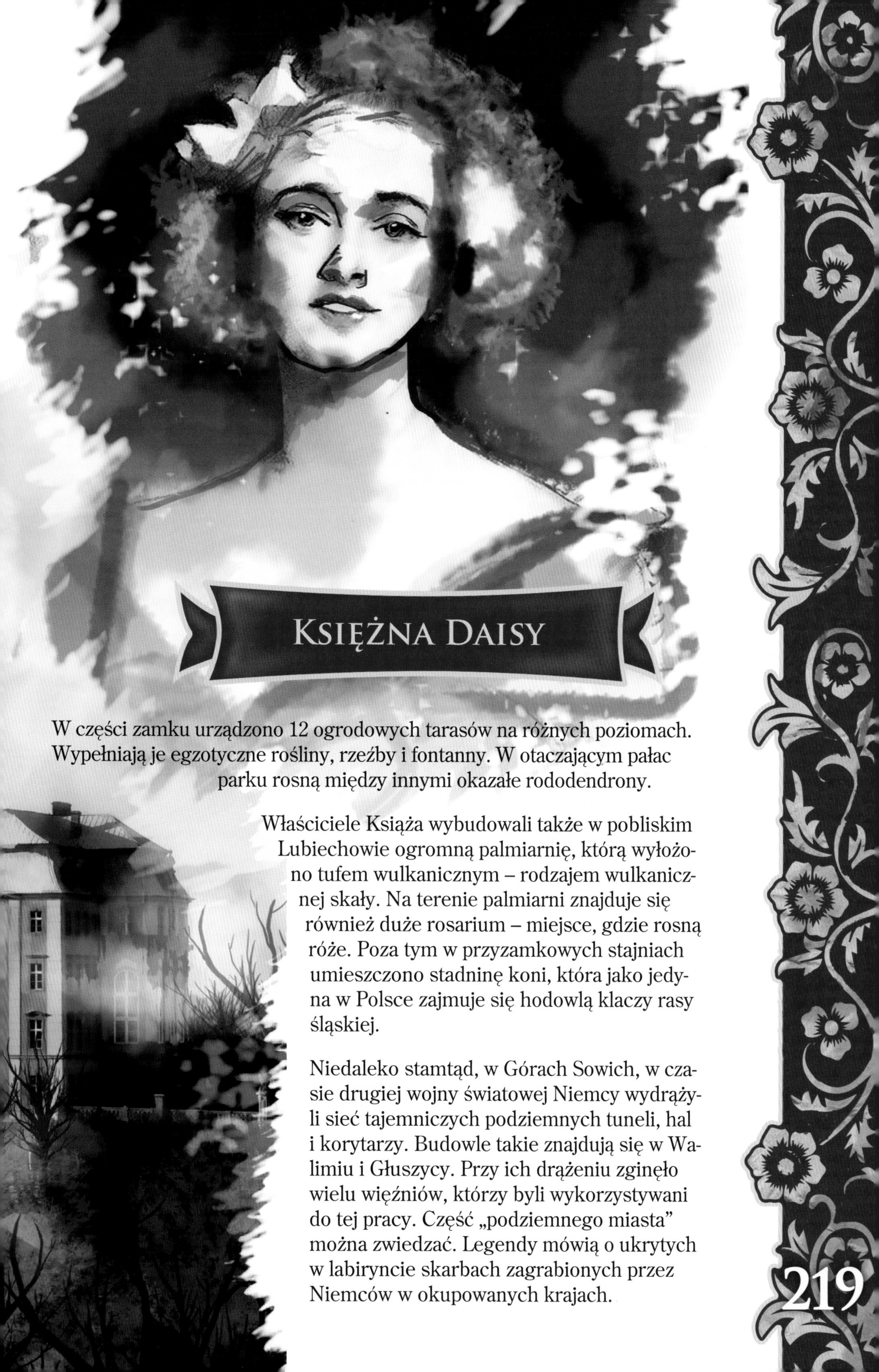

Księżna Daisy

W części zamku urządzono 12 ogrodowych tarasów na różnych poziomach. Wypełniają je egzotyczne rośliny, rzeźby i fontanny. W otaczającym pałac parku rosną między innymi okazałe rododendrony.

Właściciele Książa wybudowali także w pobliskim Lubiechowie ogromną palmiarnię, którą wyłożono tufem wulkanicznym – rodzajem wulkanicznej skały. Na terenie palmiarni znajduje się również duże rosarium – miejsce, gdzie rosną róże. Poza tym w przyzamkowych stajniach umieszczono stadninę koni, która jako jedyna w Polsce zajmuje się hodowlą klaczy rasy śląskiej.

Niedaleko stamtąd, w Górach Sowich, w czasie drugiej wojny światowej Niemcy wydrążyli sieć tajemniczych podziemnych tuneli, hal i korytarzy. Budowle takie znajdują się w Walimiu i Głuszycy. Przy ich drążeniu zginęło wielu więźniów, którzy byli wykorzystywani do tej pracy. Część „podziemnego miasta" można zwiedzać. Legendy mówią o ukrytych w labiryncie skarbach zagrabionych przez Niemców w okupowanych krajach.

4. Warownie Górów Sowich

Srebrna Góra to ogromna pruska twierdza górska strzegąca przejścia Przełęczą Srebrną do Kotliny Kłodzkiej. Składa się z sześciu fortów oraz wielu leśnych umocnień i bastionów. Była oblegana tylko raz przez wojska cesarza Francuzów Napoleona i nie została zdobyta. Potem, kiedy Srebrna Góra straciła wojskowe znaczenie, zamieniono ją na więzienie. Dziś można ją zwiedzać i podziwiać roztaczający się z góry widok na Sudety.

Zamek w Kamieńcu Ząbkowickim

W pobliskim Kamieńcu Ząbkowickim – wsi liczącej 900 lat, ze starym klasztorem Cystersów – znajduje się jeden z licznych śląskich zamków. Zaprojektował go ponad 100 lat temu znany berliński architekt i było to jego ostatnie dzieło. Zamek kazała wybudować królewna niderlandzka Marianna Orańska. Z daleka widać jego cztery narożne wieże wysokie na ponad 30 metrów. Kiedyś wnętrza zamku oszałamiały bogactwem, a otaczający budowlę park zdobiły tarasy, wodospady, fontanny i basen kąpielowy. W czasie wojny, Niemcy gromadzili w zamku skradzione na Śląsku dzieła sztuki i inne skarby. Potem został ograbiony i podpalony przez żołnierzy sowieckich. Dopiero niedawno udało się go wyremontować i jest dostępny do zwiedzania.

Na skraju Gór Sowich, w Zagórzu Śląskim pozostały ruiny potężnego zamku Grodno postawionego dla obrony przed Czechami. Warownia była potem siedzibą rycerzy-rabusiów. Na dziedzińcu rośnie pięćsetletnia lipa.

Warto się również udać do zamku w Bolkowie zbudowanego na wzgórzu nad doliną Nysy Szalonej. Zachowana potężna wieża, wysoka na 25 metrów, ma mury czterometrowej grubości. Nadano jej niespotykany w Polsce kształt dzioba zwróconego w stronę wjazdu do zamku. W czasie ataku kule armatnie ześlizgiwały się po murze. Niektórzy utrzymują, że w ruinach twierdzy Niemcy ukryli największe skarby, w tym najcenniejszą Bursztynową Komnatę. Wykonany w całości z bursztynu wystrój gabinetu króla pruskiego został podarowany carowi Rosji. Z pałacu w Carskim Siole w czasie wojny zrabowali Bursztynową Komnatę Niemcy, ale zaginęła w niewyjaśnionych do dzisiaj okolicznościach. Niedawno bursztynowy wystrój został odtworzony w Carskim Siole.

Zamek w Bolkowie

5. Na szlaku cysterskich klasztorów

Zakonnicy cysterscy zostali sprowadzeni na Dolny Śląsk przez księcia Bolesława Wysokiego i 800 lat temu założyli pierwszy klasztor w Lubiążu. Cystersi od najdawniejszych czasów zagospodarowywali ziemie, na które przybywali. Zawsze stosowali najnowocześniejsze sposoby uprawy roli i hodowli zwierząt. Potrafili też budować okazałe kościoły.

Zespół klasztorny w Lubiążu jest ogromny. Składa się z kościoła św. Jakuba, bazyliki Wniebowzięcia Najświętszej Maryi Panny z kaplicą grobową Piastów śląskich oraz klasztoru. Należy do niego pałac opatów, wozownia, browar i piekarnia. W czasie wojny Niemcy uruchomili tam fabrykę prawdopodobnie części do rakiet. Klasztor został do reszty zdewastowany przez Sowietów, którzy palili drewniane wyposażenie, a w poszukiwaniu skarbów porozbijali nawet trumny opatów.

Więcej szczęścia miał klasztor w Henrykowie, jedyny, w którym do dzisiaj pozostali cystersi. W przechowywanej w nim *Księdze henrykowskiej* zachowało się pierwsze zdanie zapisane w języku polskim. Brzmi ono: „Day, ut ia pobrusa, a ti poziwai", czyli: „Daj, niech teraz ja pomielę, a ty odpoczywaj". Zarówno kościół, jak i klasztor zachowały się w bardzo dobrym stanie.

Zespół klasztorny w Lubiążu

Przetrwał nawet tak zwany ogródek opacki, który wcale nie jest taki mały, bo ma dwa i pół hektara powierzchni. W kościele Wniebowzięcia Najświętszej Maryi Panny i Jana Chrzciciela można podziwiać bogato rzeźbione stalle (ławki) z figurami świętych, aniołków i innymi ozdobami.

Mnisi z Henrykowa założyli kolejny klasztor w Krzeszowie. Jest on jednym z najcenniejszych zabytków Śląska. Ogromna bazylika Wniebowzięcia Najświętszej Maryi Panny robi wielkie wrażenie. Wnętrze świątyni ma bogaty wystrój, a w ołtarzu głównym znajduje się niewielki cudowny obraz Matki Bożej Łaskawej. Jest to najstarszy w Polsce obraz przedstawiający Maryję. W drugim, znacznie mniejszym kościele św. Józefa ściany zostały ozdobione 50 kolorowymi freskami (malowidłami ściennymi) przedstawiającymi sceny z życia Świętej Rodziny. Opactwo krzeszowskie było właścicielem wielu posiadłości. Wśród nich było Chełmsko Śląskie. Zachowały się w nim domy tkaczy śląskich. Mają już 300 lat i nazywane są Dwunastoma Apostołami, choć pozostało ich 11, bo dwunasty – Judasz – spłonął.

6. W KŁODZKIEJ TWIERDZY I KOPALNI ZŁOTA

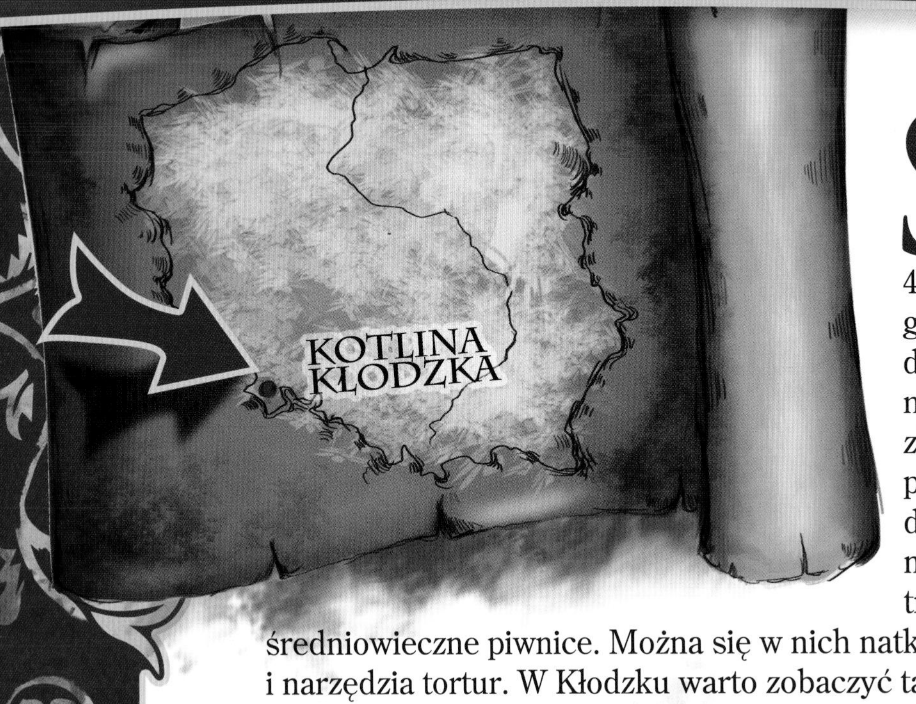

Stary warowny gród Kłodzko dał nazwę otoczonej górami Kotlinie Kłodzkiej. 400 lat temu zbudowano górującą nad miastem twierdzę. W czasie wojny Niemcy mieli tam swoje zakłady zbrojeniowe. Dziś jej część przeznaczona jest do zwiedzania. Najlepiej dojść do niej z miasta podziemną trasą prowadzącą przez średniowieczne piwnice. Można się w nich natknąć na prawdziwe szkielety i narzędzia tortur. W Kłodzku warto zobaczyć także stare kościoły, wśród nich najdłuższy (62 metry) Wniebowzięcia Najświętszej Maryi Panny, zbudowany przez joannitów. Przez rzeczkę Młynówkę przerzucono most, który – choć dużo mniejszy – przypomina słynny most Karola w Pradze.

PODZIEMNA TRASA

Szkielet z Jaskini Niedźwiedziej

W Kotlinie Kłodzkiej znajduje się dużo uzdrowisk. W Dusznikach Zdroju leczył się i koncertował sam Fryderyk Chopin. Warto tam także zwiedzić Muzeum Papiernictwa. Dużo uroku mają malutkie wsie położone u stóp Gór Bystrzyckich, jak Kamieńczyk, zamieszkany przez 50 osób, czy jeszcze mniejsze Zalesie z drewnianym kościółkiem św. Anny z niezwykłą polichromią (malowidłem) na drewnianym stropie.

Fryderyk Chopin

U stóp składającego się z pięciu szczytów masywu Śnieżnika leży Międzygórze ze szwajcarskimi i norweskimi domkami, z wodospadem Wilczki, Ogrodem Bajek i sanktuarium Matki Bożej Śnieżnej. W samym Śnieżniku trzeba zwiedzić największą w Sudetach Jaskinię Niedźwiedzią, wydrążoną w marmurach, w zboczach góry Stromej. Znaleziono tam mnóstwo kości zwierząt, w tym jaskiniowego niedźwiedzia, lwa i hieny.

W najstarszej w Polsce kopalni złota w Złotym Stoku do sztolni „Czarnej" zjeżdża się mającym 400 lat szybem osiem pięter w dół. W kopalni znajduje się jedyny podziemny wodospad o wysokości ośmiu metrów.

7. GÓRY JAK STOŁY I KAPLICA PEŁNA KOŚCI

„WIELBŁĄD"

Góry Stołowe wyglądają, jakby były ułożone z płyt. Mają płaskie wierzchołki bardziej podobne do stołu niż do typowych gór. Ich kształty są przeróżne i przedziwne, stąd takie nazwy jak: Kwoka, Wielbłąd czy Głowa Wielkoluda. Najwyższym wzgórzem jest Szczeliniec Wielki. Najsłynniejszy labirynt skalny tworzą Błędne Skały. Góry chronione są Parkiem Narodowym Gór Stołowych. Przez środek parku prowadzi droga łącząca Kudowę, Karłów oraz Radków nazwana „Drogą Stu Zakrętów".

Najdziwniejszym i może najstraszniejszym miejscem na Dolnym Śląsku jest kaplica Czaszek w Czermnej w Kudowie. Jej ściany wyłożone są trzema tysiącami ludzkich czaszek i kości. Zostały one zebrane przez jednego z księży z pól bitew rozgrywanych w okolicy lub pochodzą od ludzi zmarłych na zarazę. W podziemiach kaplicy ułożono 21 tysięcy kości na wysokość dwóch metrów.

W sąsiedniej Pstrążnej znajduje się ruchoma szopka złożona z 250 figur. Przez 20 lat rzeźbił je niezawodowy artysta, który wykonał także organy z 270 drewnianymi piszczałkami. W Kudowie można zwiedzić Muzeum Zabawek „Bajka", w którym zgromadzono eksponaty z różnych stron świata i okresów. Godne uwagi jest też Muzeum Żaby.

Sanktuarium w Wambierzycach nazywane jest „śląską Jerozolimą". W bazylice znajduje się niewielka figurka Matki Bożej z Dzieciątkiem. Do świątyni prowadzą monumentalne schody. Na wzgórzu naprzeciw zbudowano kalwarię. Zachowało się 17 bram wjazdowych, stacje drogi krzyżowej i 100 mniejszych kaplic. Wielka wambierzycka ruchoma szopka przedstawia sceny z narodzenia Jezusa oraz zabawę ludową i – co niezwykłe – przekrój kopalni węgla kamiennego.

Figurka Matki Bożej Dolnośląskiej Strażniczki Wiary znajduje się w sanktuarium maryjnym w Bardzie, w bogato zdobionym kościele Nawiedzenia Najświętszej Maryi Panny. Na Górze Bardzkiej, zwanej Kalwarią, w miejscu, gdzie miała się objawić Matka Boża Płacząca, stoi górska kapliczka, a na niższej Górze Różańcowej – 14 kapliczek.

8. ŚNIEŻKA I TAJEMNICE ZAMKÓW

Góry Karkonosze zachwycały już od wieków. Swe letnie rezydencje budowały tam królewskie i książęce rody z Niemiec, Holandii, Litwy. Wypoczywała tam Marysieńka – żona króla Jana III Sobieskiego, pisarze, poeci: Kornel Ujejski, Wincenty Pol. Wędrując na najwyższy szczyt – Śnieżkę, na której śnieg leży przez 170 dni w roku, możemy podziwiać urzekające panoramy, a na górskich zboczach i szczytach – fantazyjne grupy skał: Końskie Łby, Pielgrzymi, Trzy Turnie, Słonecznik. Ku dolinom biegną liczne potoki z wodospadami – największy w wąwozie Kamieńczyka ma 27 metrów. Podobno powstał on z łez siedmiu rusałek. W wąwozie kręcono sceny do filmu *Opowieści z Narnii: Książę Kaspian*. Po wytopionym lodowcu zalegającym kiedyś Karkonosze pozostały jeziora: Wielki i Mały Staw, Śnieżne Stawki, Śnieżne Kotły, Kocioł Łomniczki. Zachowanie i ochrona tych wyjątkowych krajobrazów oraz przyrody były powodem utworzenia Karkonoskiego Parku Narodowego.

U podnóża Śnieżki leży Karpacz, który – podobnie jak pobliska Szklarska Poręba – jest znaną miejscowością wypoczynkową. W Karpaczu zobaczyć można najstarszy

w Polsce drewniany kościół Wang. Jego historia jest niezwykła. Został zbudowany 800 lat temu w południowej Norwegii. Przed niespełna 200 laty został jednak rozebrany i przewieziony statkiem do portu w Szczecinie, a stamtąd do Karpacza, gdzie stoi do dzisiaj. Do jego postawienia nie użyto ani jednego gwoździa, a na wiekowych belach możemy zobaczyć stare znaki Wikingów – runy.

Nieopodal Karpacza leżą Kowary – miasto słynące od blisko 150 lat z nieistniejącej już fabryki dywanów. Możemy również zwiedzić starą sztolnię zamkniętej już kopalni uranu pracującej dla Związku Sowieckiego. Uran był wykorzystywany do produkcji bomb atomowych. Przez lata istnienie tej kopalni utrzymywane było w tajemnicy.

U podnóża Karkonoszy stoi zamek Chojnik zbudowany nad urwiskiem Piekielnej Doliny. Co roku do zamku zjeżdżają na swój turniej kusznicy, by walczyć o „Złoty Bełt Zamku Chojnik”. W pobliżu znajduje się malownicze miasto Jelenia Góra, skąd można się udać do zamku Czocha położonego nad zalewem utworzonym przez rzekę Kwisa. Związane jest z nim wiele legend i tajemnic o podziemnych korytarzach i ukrytych skarbach. Zaraz po drugiej wojnie światowej wykradziono z jednej ze skrytek insygnia koronacyjne dynastii rosyjskich carów oraz kilkadziesiąt ich popiersi. Zamek Czocha możemy zobaczyć w wielu filmach, które tam nakręcono.

SPIS TREŚCI:

KOCHAM POLSKĘ

Joanna i Jarosław
Szarkowie

Elementarz dla dzieci

„Kto ty jesteś? Polak mały...". Ten wiersz Władysława Bełzy zna już od stu lat każde polskie dziecko. Książka *Kocham Polskę. Elementarz dla dzieci* to propozycja dla rodziców, którzy swoim pociechom chcą przekazać wiedzę o Polsce, jej historii, tradycji, bohaterach, ważnych wydarzeniach i miejscach, którzy chcą zaszczepić w nich zalążki patriotyzmu i miłości do swojego kraju. Opowiadamy w niej o przeszłości, aby nasze dzieci poznały dzieje swojej Ojczyzny nie tylko poprzez legendy, ale także spotykając się z postaciami prawdziwych rycerzy, księżniczek, królów, uczestnicząc w wielkich bitwach i zwycięstwach. Chcemy, by były dumne z tego, że są Polakami, i – jak w wierszu – na pytanie: „Czy ją kochasz", mogły odpowiedzieć: „Kocham szczerze"...

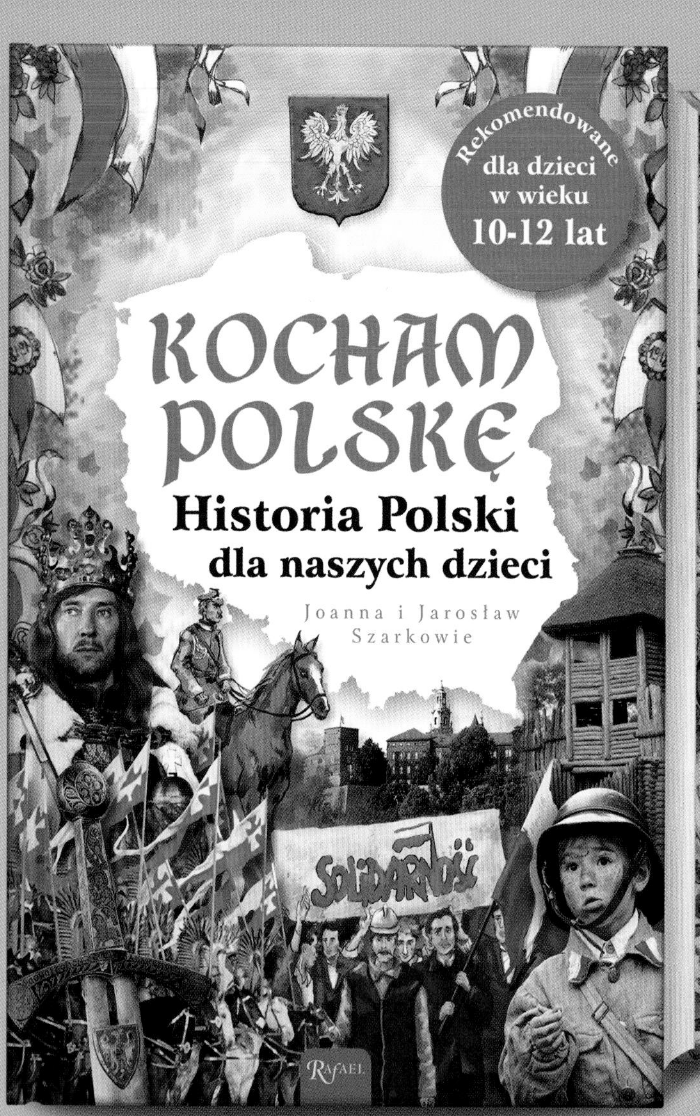

KOCHAM POLSKĘ

Joanna i Jarosław
Szarkowie

Historia Polski dla naszych dzieci

Kocham Polskę – Historia Polski dla naszych dzieci to zaproszenie dzieci i rodziców do domowej, rodzinnej przygody z historią, tradycją, dziejami i bohaterami narodowymi. Pragnieniem autorów i wydawcy jest, by książka ta nie tylko dostarczyła naszym dzieciom konkretnej wiedzy, o którą – niestety – coraz trudniej gdzie indziej, ale zaszczepiła w nich zalążki miłości do swojego kraju, szacunku do Ojczyzny i jej bohaterów oraz świadomości i poczucia dumy z bycia Polakiem.

Jesteśmy przekonani o ogromnej wychowawczej wartości pielęgnowania w naszych dzieciach pamięci historycznej i miłości do Ojczyzny. Wierzymy, że oddajemy w ręce rodziców i dzieci najlepszy elementarz służący temu celowi. Gorąco zachęcamy do korzystania z niego.